南デリー
イスラム征服王朝と「その足跡」
［モノクロノートブック版］

JN122286

世界遺産のクトゥブ・ミナールやトゥグルカーバードなど、中世インドを支配した王朝の遺跡群が見られる南デリー。現在に続くデリーの街はこの地域のラールコートあたりからはじまったとされ、8世紀から南デリーに都をおいたラージプート族の遺構も残っている。

　中世になるまでマウリヤ朝やグプタ朝の都があったガンジス河中流域から見ると、デリーは辺境に過ぎなかったが、10世紀以降、北西からインドに侵入したイスラム勢力の登場で状況は一変した。「デリーを制する者は

インドを制する」と言われ、インド支配の足がかりのため
の都が南デリーに次々に築かれ、「七度の都」と呼ばれる
ようになった。

　17世紀になってムガル帝国のシャー・ジャハーン帝
がオールド・デリーを造営したことで街の中心は北側に
移り、南デリーは古代遺跡が残る地域となっていた。現
在、デリー市街の拡大とともに、中世の遺跡群は大きなデ
リーのなかにふくまれ、デリー南部では住宅街や高層建
築が見られる。

まちごとインド｜北インド 005

南デリー

イスラム征服王朝と「その足跡」

Asia City Guide Production
North India 005

South Delhi

दक्षिण दिल्ली/ ਦੱਖਣੀ ਦਿੱਲੀ / جنوبی دہلی

「アジア城市(まち)案内」制作委員会
まちごとパブリッシング

Contents

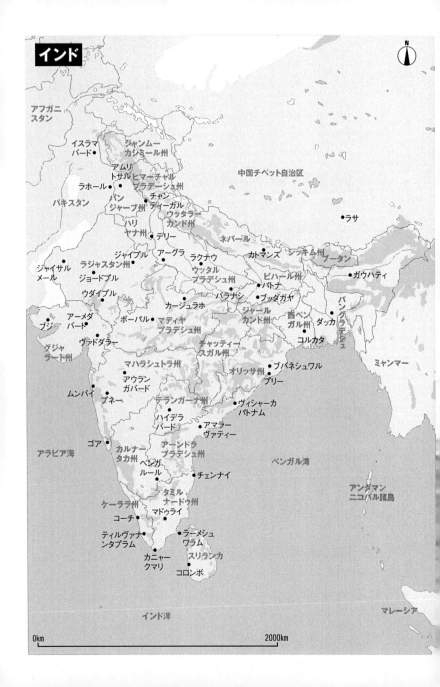

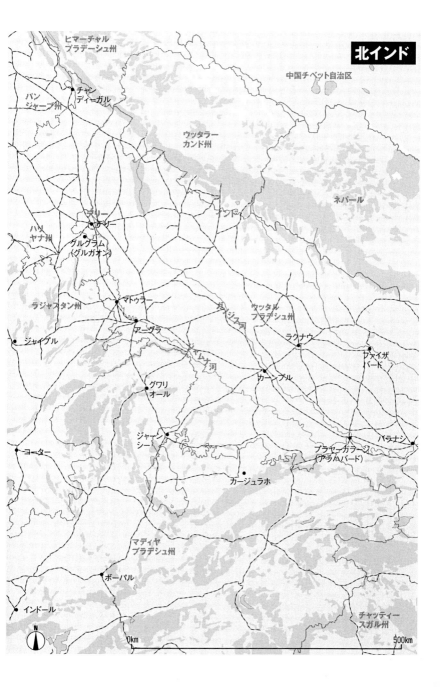

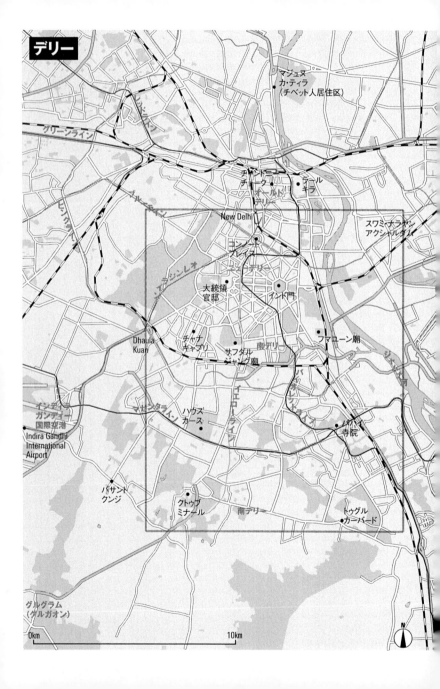

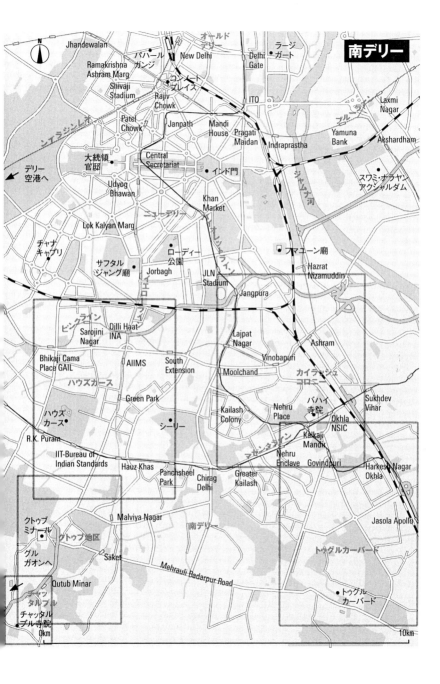

南デリー

南デリー／イスラム征服王朝と「その足跡」

中世と躍進する首都圏

開発が進む郊外の南デリー
ここは中世、侵入してきたイスラム王朝が
繰り返し都を造営した地でもある

デリー征服のモニュメント

　中世、デリーの地にはラージプート系のヒンドゥー王朝があったが、1192年、中央アジアから侵入したイスラム王朝がタラインの戦いで勝利してデリーに入城した。このヒンドゥーに対するイスラムの勝利を記念して建てられたものが、南デリーに立つ戦勝記念塔クトゥブ・ミナールで、以来、デリーはイスラム諸王朝の都が構えられることになった（12世紀末より、ムガル帝国が滅亡する19世紀までデリーはイスラム王朝の統治下にあった）。デリーに都をおいたイスラム諸王朝は繰り返したことから、南デリーの地には中世の遺跡がいくつも残ることになった。

超巨大デリー首都圏の誕生

　1947年の印パ独立にともなってデリーには難民が流入し、くわえて20世紀後半から急速に人口が増加するようになっていた。こうしたなか過密する人口を分散し、産業を分散するデリー首都圏計画（NCR）が1980年代より進められ、デリー周囲のグルグラム（グルガオン）、ファリダバード、ガジアバードなどに衛星都市がつくられることになった。現在、このデリー首都圏はハリヤナ州、ウッタ

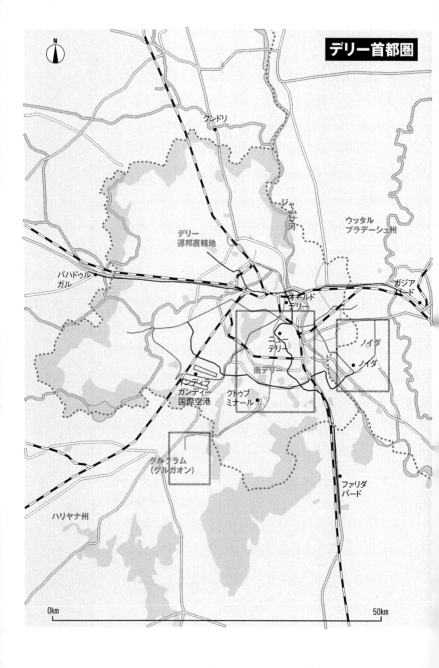

ル・プラデーシュ州、ラジャスタン州をふくむ超巨大都市へと発展している。

台頭する新中間層

　1947年に独立したインドでは、社会主義的な要素の強い経済政策が進められてきたが、やがて外資を呼び込み、民間企業の活力を利用する経済自由化へ転換した。この経済自由化を受けて1980年代から都市部で台頭したのが新中間層と呼ばれる人々で、ある程度の所得があり、消費の中心となるようになった（植民地時代から英語教育を受けていたエリート層とは区別される）。これらの人々は優れた住環境が確保された南デリーやそのさらに南側のグルグラム（グルガオン）に住宅を構え、巨大なデリー首都圏が現れるようになった。

***

クトゥブ・ミナール *Qutb Minar*

★★☆

グルガオン *Gurgaon*

★☆☆

インディラ・ガンディー国際空港 *Indira Gandhi International Airport*

ノイダ *Noida*

クトゥブ・ミナールを中心に遺構が展開する

中世以来デリーにイスラム教が根づいていった

クトゥブ地区城市案内

1192年、デリーを征服したイスラム王朝による
戦勝記念塔クトゥブ・ミナール
ラール・キラ、フマユーン廟とならんで世界遺産に登録されている

クトゥブ地区 ★★★

Qutb Area／ⓗ कुतुब परिसर／ⓐ ਕੁਤੁਬ ਪੇਤਰ／ⓤ قطب كيليس

　デリー南部にそびえる高さ73mのクトゥブ・ミナール
はデリーにはじめてイスラム王朝（奴隷王朝）を樹立したク
トゥブッディーン・アイバクによるもので、「（イスラムにとっ
て）異教徒が暮らすヒンドゥスタンを征服した」ことを示
すために築かれた戦勝塔となっている。中世のデリーは
このクトゥブ・ミナールが立つあたりにあり、ヒンドゥー
王朝を滅ぼしたイスラム諸王朝も引き続き、この地に宮
廷をおいた。12世紀末から300年続くデリー・サルタナッ
ト朝がはじまり、インドにイスラム教が浸透していくこ
とになった。

クトゥブ・ミナール ★★★

Qutb Minar／ⓗ कुतुब मीनार／ⓐ ਕੁਤੁਬ ਮੀਨਾਰ／ⓤ قطب منار

　イスラム世界でも有数の高さ73mをほこる赤砂岩製の
クトゥブ・ミナール。1192年のデリー制圧後しばらくし
てクトゥブ・ミナールの造営がはじまり、円形と三角形の
プランを交互にしながら、上部に伸びていく様式をもつ。
アイバクの時代から、工事は奴隷王朝の支配基盤を整え
たイレトゥミシュの時代に受け継がれて完成した（一般的
なミナレットがモスクに付随し、礼拝を告げるアザーンを流す目的なのに

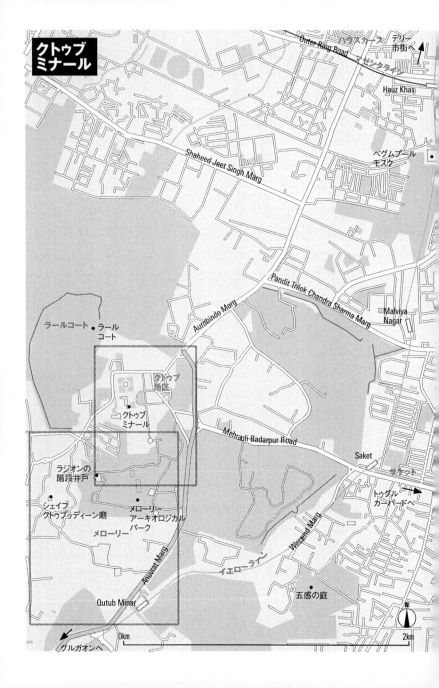

クトゥブ
ミナール

Outer Ring Road ハウスカーズ デリー市街へ
マゼンタライン

Hauz Khas

Shaheed Jeet Singh Marg

ベグムプール
モスク

Pandit Trilok Chandra Sharma Marg

Aurobindo Marg

ラールコート ・ ラール
コート

Malviya
Nagar

クトゥブ
地区

クトゥブ
ミナール

Mehrauli Badarpur Road

Saket
サケット

ラジオンの
階段井戸

トゥグル
カーバードへ

シェイプ
クトゥブッディーン廟

メローリー
アーキオロジカル
パーク

メローリー

Westend Marg

イエローライン

五感の庭

Qutub Minar

0km   2km

グルガオンへ

N

対して、このミナレットはインドを征服した戦勝記念塔となっている。二層目以上がイレトゥミシュの時代の完成）。ミナレット内には上部へいたる379段の螺旋階段があり、壁面には『コーラン』の詩句が刻まれている。

クワット・アル・イスラム・モスク ★★☆
Quwwat al-Islami Mosque ⓣ कुव्वत उल इस्लाम मस्जिद
ⓗ ਕੁਵੈਤ ਅਲ-ਇਸਲਾਮ ਮਸਜਿਦ ⓤ قوت السلام مسجد

「イスラムの力」を意味するクワット・アル・イスラム・モスク。デリーを制圧したイスラム教徒がその信仰のために建立し、現存するインド最古級のモスクとなっている。13世紀初頭の奴隷王朝のアイバクの時代に建てられ、イレトゥミシュが増築し、続くハルジー朝アラーウッディーン・ハルジーの時代にそれまでの10倍以上の規模に拡張された。モスクの建造にあたって、27ものヒンドゥー寺院やジャイナ寺院が破壊され、その石材がもちいられている（神の彫刻がほどこされていた柱の一部は削りとられた）。当時、イスラムの建築技術を学んだインド人工匠も多かったという。

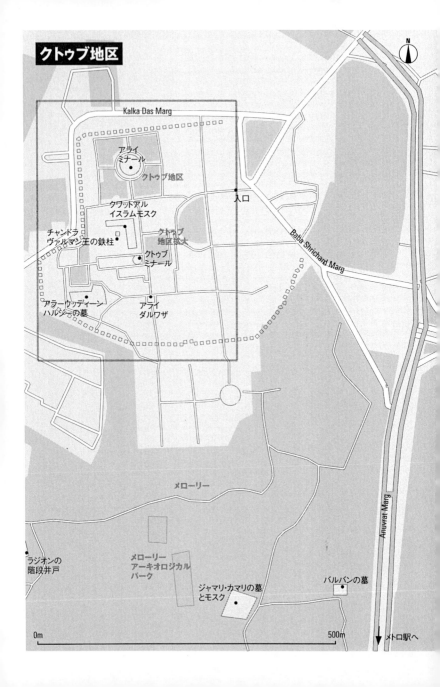

クトゥブ地区

N

Kalka Das Marg

アライ
ミナール

クトゥブ地区

入口

クワットアル
イスラムモスク

Baba Shrichard Marg

チャンドラ
ヴァルマン王の鉄柱

クトゥブ
地区拡大

クトゥブ
ミナール

アラーウッディーン
ハルジーの墓

アライ
ダルワザ

メローリー

Anuvrat Marg

ラジオンの
階段井戸

メローリー
アーキオロジカル
パーク

ジャマリ・カマリの墓
とモスク

バルバンの墓

0m   500m

メトロ駅へ

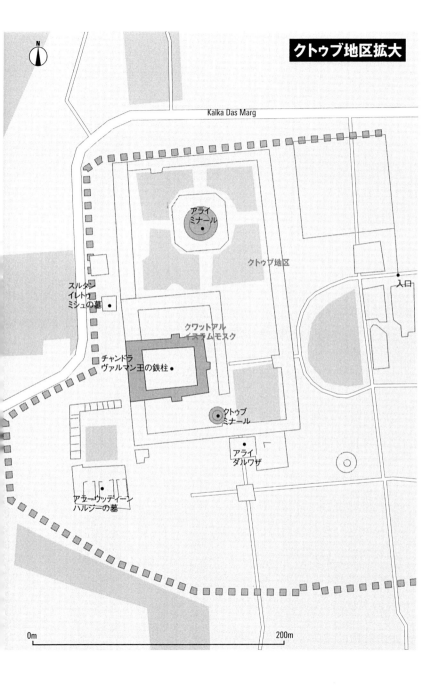

チャンドラヴァルマン王の鉄柱 ★☆☆

Iron Pillar／ⓗ लौह स्तंभ／ⓗ चंद्रगुप्त विक्रमादित्य आयरन पिलर (लोहे दा थेम)、
ⓤ آئرن ستون

　モスクの敷地に立つ高さ7mのチャンドラヴァルマン王の鉄柱。この鉄柱は4世紀にガンジス河中流域のヴィシュヌ寺院から運ばれたもので、グプタ朝のチャンドラグプタ2世に捧げるものだったと言われる。鉄の純度が100%に近いため、酸化せず、1500年以上たってもさびていない。

アライ・ミナール ★★☆

Alai Minar／ⓗ अलाई मीनार　ⓗ ਅਲਈ ਮੀਨਾਰ　ⓤ علائی مینار

　アライ・ミナールは高さ20mほどの巨大な基壇跡。奴隷王朝に代わったハルジー朝（デリー・サルタナット第2王朝）のアラーウッディーン・ハルジーの命で、高さ150mになるミナレットの工事が1312年に着工した。結局、モンゴル軍侵入などのため完成しなかったが、現在、その基壇が残り、直径はクトゥブ・ミナールの2倍近い。

純度が高いためさびないチャンドラヴァルマン王の鉄柱

天をつくようなミナレット、高さ73m

完成していれば恐るべき高さになっていたであろうアライ・ミナール

オールド・デリーよりさらに古い都がここにおかれていた

多くの観光客が訪れるクトゥブ地区

デリー・サルタナット朝の王たちがここに眠る

クトゥブ・ミナールにほどこされた精緻な意匠

スルタン・イレトゥミシュの墓 ★★☆

Mausoleum of Iltmish ⓔ इल्तुतमिश मकबरा /
ⓗ ਸੁਲਤਾਨ ਇਲਤਮਿਸ਼ ਦਾ ਮਕਬਰਾ / ⓤ سلطان التمش کا مقبرہ

クワット・アル・イスラム・モスクの西側に残る奴隷王
朝の第3代スルタン・イレトゥミシュの墓。イレトゥミ
シュはもともと中央アジアのイルバリー族の長だった
が、奴隷に転落し、アイバクに買われてその配下の武将
となっていた。アイバク死後、美しい容姿と魅力的な人
格、的確な政治判断など実力でスルタンへ即位した。アッ
バース朝カリフに使者を送るなど、デリー・スルタン王朝
の礎を築いた名君とされる。

アラーウッディーン・ハルジーの墓 ★☆☆

Tomb of Ala'al Din Khalji ⓔ अलाउद्दीन खिलजी का मकबरा /
ⓗ ਅਲਾਅਲ ਦੀਨ ਖ਼ਾਲਜੀ ਦਾ ਮਕਬਰਾ / ⓤ علاوالدین خلجی کا مقبرہ

奴隷王朝に代わって北インドを支配したトルコ系ハ
ルジー族のアラーウッディーン・ハルジーの墓。この王
は、1298年、パンジャーブに侵入した10万のモンゴル軍
を破るなど武勇をほこった。またデカン高原へ遠征し、
デリー・サルタナット朝の勢力を南インドにまで広げ、
「スィカンダル・サーニー（第2のアレキサンダー）」と自らを呼
んだ。ハルジー朝と続くトゥグルク朝までがデリー・サル
タナット朝の全盛期だったと言える。クトゥブ・ミナール
の南西に位置する。

アライ・ダルワザ ★☆☆

Alai Darwaza ⓔ अलाई दरवाज़ा / ⓗ ਅਲੈ ਦਰਵਾਜ਼ਾ / ⓤ علائی دروازہ

クトゥブ地区にある建築群の南側の門にあたるのがア
ライ・ダルワザ。赤砂岩製の門で、幾何学模様や植物の浮
彫がほどこされている（イスラムでは偶像崇拝が禁じられているた
め、このような模様がもちいられた）。

見事な装飾が見られるスルタン・イレトゥミシュの墓

Mehrauli
メローリー城市案内

中世、ラージプート族を破ったイスラム勢力は
この地に宮廷を構えた
かつての王朝の記憶をたどる遺構が残る

メローリー・アーキオロジカルパーク ★★☆
Mehrauli Archaeological Park／ⓣ मेहरौली पुरातत्व पार्क
ⓐ ਮਹਰੌਲੀ ਪੁਰਾਤੱਤਵ ਪਾਰਕ　ⓤ مہرولی

　南デリーにそびえるクトゥブ・ミナールを囲むように
広がるメローリー・アーキオロジカルパーク。このあたり
はデリー発祥の地ともいえ、現在のデリーの繁栄につな
がるデリー・サルタナット朝の都がおかれる以前のラー
ジプート族のチャウハン朝の都があった。ラージプート
族を破った中央アジアからのイスラム勢力は、この南デ
リーの地を本拠(都ラール・コート)と決め、戦勝記念塔で
あるクトゥブ・ミナールのほか、自らの信仰のために必要
なモスク、宮殿、皇帝の墓、イスラム聖者廟、階段井戸など
が築かれていった。デリー第1の都ラールコート、バルバ
ンの墓、ジャマリ・カマリの墓とモスク、ラジオンの階段
井戸、シェイフ・クトゥブッディーン廟など、多岐にわた
る遺構が残る。

バルバンの墓 ★☆☆
Tomb of Balban／ⓣ बलबन का मकबरा　ⓐ ਬੱਲਬਾਨ ਦਾ ਮਕਬਰਾ／
ⓤ بلبن کا مقبرہ

　クトゥブ・ミナールの南に残る奴隷王朝のスルター
ン・ギヤースッディーン・バルバン(在位1266〜87年)の

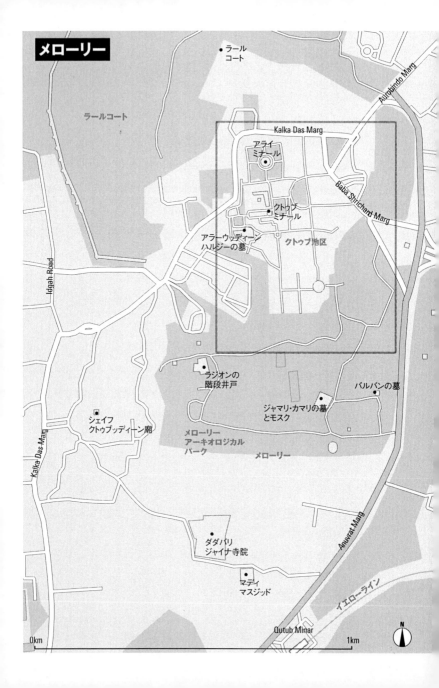

墓。バルバンはデリーの奴隷王朝の第9代スルタンで、イレトゥミシュの奴隷として宮廷に入り、力をつけて王となった(世襲ではなく、優秀な者がスルタンとなり、しばしば奴隷出身者がスルタンとなった)。16m四方の墓室が残るが、荒廃がいちじるしい。

ジャマリ・カマリの墓とモスク ★☆☆

Jamali Kamali Tomb and Mosque ⓗजमाली कमाली का मुकबरा और मस्जिद
ⓟਜਮਾਲੀ ਕਮਾਲੀ ਦਾ ਮਕਬਰਾ ਅਤੇ ਮਸੀਤ／ⓤجمالى كمالى كا مقبره اور مسجد

　　ローディー朝(1451〜1526年)からムガル帝国初期にかけての宮廷詩人ジャマリが眠る墓とモスクが一体となった複合建築。16世紀初頭のもので、ジャマリと同時代に生きたカマリも葬られている。

ラジオンの階段井戸 ★★☆

Rajon Ki Baoli／ⓗराजों की बावली／ⓟਬਾਉਲੀ　ⓤباؤلى

　　メローリー・アーキオロジカルパークの一角に残るラジオンの階段井戸。南北39m、東西24mからなる巨大な階段井戸で、アーチが続く3層の構造物最下層へと階段が続いていく。階段状となっているのは、どの水位でも水がとれるようにするためで、井戸の最下層に水が残っている(また水に霊性が宿るとされ、階段井戸自体が信仰対象となった)。デ

リー・サルタナット朝では後期のローディー朝(1451〜1526年)時代のものとされる。

ダダバリ・ジャイナ寺院 ★☆☆
Jain Mandir Dadabari ⓗ जैन मंदिर दादाबाड़ी／ⓐ जैन मंदिर／ⓤ جین مندر ڈاڈاباڑی

デリーを代表するジャイナ教寺院のダダバリ・ジャイナ寺院。ジャイナ教の聖者ダダバリ(1140〜66年)が火葬された場所に立ち、白の大理石で彩られた回廊をもつ寺院となっている。

南デリー／イスラム征服王朝と「その足跡」

シェイフ・クトゥブッディーン廟 ★☆☆
Mausoleum of Qutbuddin ⓗ कुतबुदीन बख्तियार काकी का मकबरा
ⓐ कुतबुदीन दे मकबरा／ⓤ قطب الدین کا مقبرہ

13世紀、デリー・サルタナット朝の初期に活躍したイスラム聖者シェイフ・クトゥブッディーンの霊廟。中央アジアのフェルガナ地方に生まれたクトゥブッディーンは、イスラム世界の中心であったバグダッドで修行した後、イスラム教を布教するためにデリーに派遣された。当時のデリーはほとんどイスラム聖者がいなかったことから、スルタンから篤いもてなしを受けたと伝えられる。1526年、デリーに入城したバーブル帝がまず行なったのが、ニザームッディーンとクトゥブッディーンの墓を訪ねることで現在の建物はムガル帝国末期に築かれた。クトゥブ・サーヒブの愛称で呼ばれ、多くの巡礼者を集めている。

ラールコート ★☆☆
Lal Kot／ⓗ लालकोट／ⓐ लाल कोट／ⓤ لال کوٹ

中世ヒンドゥー王朝の都がおかれていたラールコート。1192年、イスラム王朝がヒンドゥー王朝に代わってデリーを支配すると、引き続きこの地に都がおかれた。

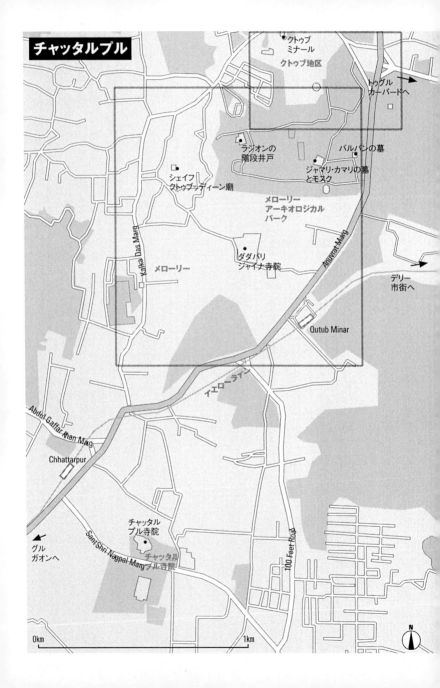

チャッタルプル寺院 ★☆☆

Chhatarpur Mandir Ⓔ छत्तरपुर मंदिर Ⓗ ਛਤਰਪੁਤ ਮੰਦਰ
Ⓤ چھترپور مندر

　チャッタルプル寺院は、クトゥブ・ミナールの南に位置する新興のヒンドゥー寺院複合体。カイラス山やカシミールなどインド各地を放浪した聖者シュリー・ナグパル・ババが1970年代にこのあたりにアーシュラムを構え、以来、ヒンドゥー教徒の巡礼地へと成長をとげた。28万平方メートルという広大な敷地に、カタヤニ女神、シヴァ神、ラーマ神、ハヌマン神、クリシュナ神、ガネーシャ神といったヒンドゥー教の神さまをまつる寺院群が展開する。またそれらは南インドのピラミッド型シカラをもつ様式、北インドのドーム屋根をもつ様式などインド各地の建築様式で建てられている。ヒンドゥー寺院のほか、病院や学校、福祉施設なども併設する。

トルコ人デリー征服譚

宮廷奴隷アイバクに率いられたイスラム勢力
1192年、タラインの戦いでヒンドゥー勢力は敗れ
デリーは新たな支配者のものとなった

アイバクによる奴隷王朝の樹立

　11世紀ごろからトルコ人を中心とするガズニ朝やゴール朝が中央アジアからインドに侵入し、しばしば略奪を行なっていた。ゴール朝に仕える宮廷奴隷アイバクは、インド遠征軍の将軍のひとりで、1192年、タラインの戦いに勝利したゴール朝軍は兵を進めてデリーを占領した。その後、収奪した戦利品をもって本拠地に帰る予定だったが、ゴール朝の君主ムハンマドが急死したことから、アイバクはデリーにとどまり、1206年、敵のプリトゥヴィラージの居城を自らの宮廷としてこの地に独立政権（奴隷王朝）を打ち立て、アッバース朝カリフの権威を認めるスルタン（地方領主）を名乗った。

奴隷王朝とは

　かつてイスラム世界では奴隷の所有が認められていて、宮廷に仕えて権力を握ったり、結婚も許されるなど西洋のものとは異なっていた。奴隷王朝のアイバク、イレトゥミシュ、バルバンらはいずれも奴隷出身者が政権をとったことからこの名前で呼ばれるほか、宮廷に仕えるトルコ系奴隷軍人が樹立した王朝としてエジプトのマム

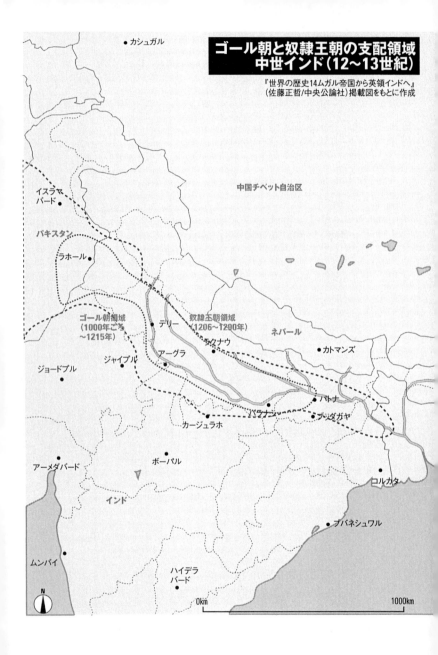

ゴール朝と奴隷王朝の支配領域
中世インド（12～13世紀）

『世界の歴史14ムガル帝国から英領インドへ』
（佐藤正哲/中央公論社）掲載図をもとに作成

カシュガル

イスラマ
バード

中国チベット自治区

パキスタン

ラホール

ゴール朝領域
（1000年ごろ
～1215年）

デリー

奴隷王朝領域
（1206～1290年）

アーグラ

ラクナウ

ネパール

カトマンズ

ジョードプル

ジャイプル

パトナ

バラナシ

ブッダガヤ

カージュラホ

アーメダバード

ボーパル

コルカタ

インド

ブバネシュワル

ムンバイ

ハイデラ
バード

N

0km

1000km

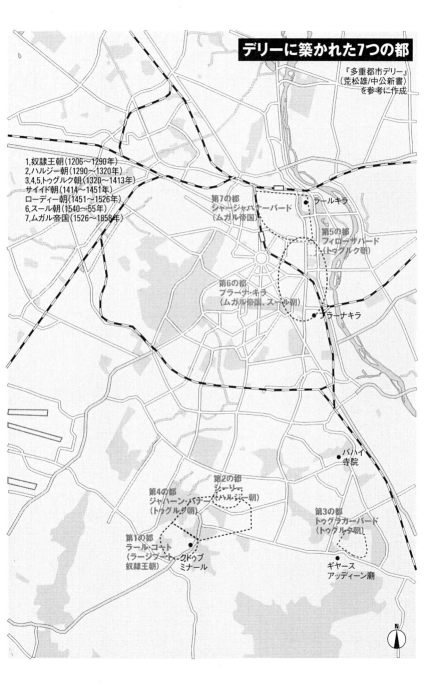

デリーに築かれた7つの都

『多重都市デリー』
(荒松雄/中公新書)
を参考に作成

1,奴隷王朝(1206〜1290年)
2,ハルジー朝(1290〜1320年)
3,4,5,トゥグルク朝(1320〜1413年)
サイイド朝(1414〜1451年)
ローディー朝(1451〜1526年)
6,スール朝(1540〜55年)
7,ムガル帝国(1526〜1858年)

第7の都
シャージャハナーバード
(ムガル帝国)

ラールキラ

第5の都
フィローザバード
(トゥグルク朝)

第6の都
プラーナ・キラ
(ムガル帝国、スール朝)

プラーナキラ

バハイ
寺院

第2の都
シーリー
(ハルジー朝)

第4の都
ジャハーン・パナー
(トゥグルク朝)

第3の都
トゥグラカーバード
(トゥグルク朝)

第1の都
ラール・コート
(ラージプート・クトゥブ
奴隷王朝) ミナール

ギヤース
アッディーン廟

N

ルーク朝が知られる。

プリトヴィラージの恋物語

　12世紀、北インドのラージプート諸国家のなかでデリーにあったチャーハマーナ朝。その王プリトゥヴィラージは宿敵のカナウジ王姫に恋し、また王姫も彼を想っていた。カナウジ王はねたみからプリトゥヴィラージを王姫の婿選びに呼ばず、その像をつくらせて宮廷の門においた。慕う相手がいないままで、求婚者たちに言い寄られた姫は、花輪を求婚者ではなく、プリトゥヴィラージの像にかけて想いを示した。するとそこへ本物の王が現れ、姫を愛馬に乗せて去っていった。ふたりの愛はこうして実ったが、最愛の王姫を奪われたカナウジ王は、外敵イスラムの侵入にも協力せず、プリトゥヴィラージはイスラム勢力に敗れることになった。

仏教教団滅亡

　1192年、デリーを制圧したゴール朝の一派ムハンマド・バフティヤール・ハルジーが率いる勢力は、そのまま東征を続けてベンガル地方にまで達した。このときナーランダ、ヴィクラマシーラなどの仏教僧院が1203〜03年に破壊され、仏教僧は虐殺された。こうして仏教教団はインドからついえ、その伝統はヒマラヤを越えてチベットに移ることになった。ハルジー族がベンガル地方に拠点をかまえたことから、この地はイスラム化し、バングラデシュがパキスタンとならんでイスラム教の国なのは、ムハンマド・バフティヤール・ハルジーの進軍によるものだとされる。

Hauz Khas
ハウズカース城市案内

豊かな緑が広がるハウズ・カース
地下鉄イエローラインで
デリー中心部と結ばれている

ハウズ・カース ★☆☆
Hauz Khas ⓗहौज़ खास／ⓟਹੌਜ਼ ਖਾਸ／ⓤ ﺧﺎﺹ ﻫﻮﺯ

　南デリーの一角にある緑豊かな公園ハウズ・カース。こ
こはトゥグルク朝の第3代スルタン・フィローズ・シャー
が造営した貯水池とその周囲にフィローズ・シャーの墓
廟や中世デリーのいくつかの遺構が点在する（この公園の東
にデリー第2の都シーリーがあった）。フィローズ・シャーは、岩
盤のうえに立つデリーの水利を考えていくつかの貯水池
をつくっているが、ハウズ・カースはそのなかのひとつ。
この公園の周囲には、落ち着いた街並みが広がっている。

ハウズ・カース・ヴィレッジ ★☆☆
Hauz Khas Village／ⓗहौज़ खास गांव／ⓟਹੌਜ਼ ਖਾਸ ਪਿੰਡ／
ⓤ ﻫﻮﺵ ﺧﺎﺱ ﮔﺎﻭﮞ

　デリーに暮らす中流層や感度の高い人々が集まるハウ
ズ・カース・ヴィレッジ。ハウズ・カース公園に位置し、20
世紀末ごろからカフェやショップがならぶエリアとなっ
た。

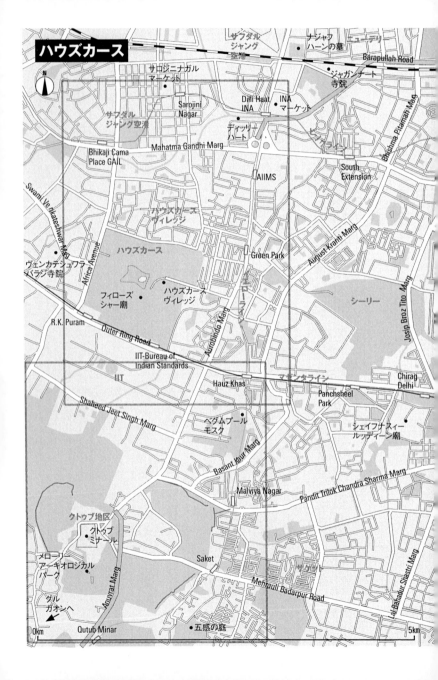

ハウズカース

ザフダル
ジャング
空港

ナジャフ
ハーンの墓

ニューデリー

Barapullah Road

N

サロジニナガル
マーケット

ジャガンナート
寺院

サフダル
ジャング空港

Sarojini
Nagar

Dilli Haat
INA

INA
マーケット

ディッリー
ハート

Bhikaji Cama
Place GAIL

Mahatma Gandhi Marg

AIIMS

South
Extension

Bhishma Pitamah Marg

Swami Ve nkateshwar Marg

ハウズカース
ヴィレッジ

Green Park

August Kranti Marg

ヴェンカテシュワラ
バラジ寺院

ハウズカース

Africa Avenue

フィローズ
シャー廟

ハウズカース
ヴィレッジ

Aurobindo Marg

イエローライン

シーリー

Josip Broz Tito Marg

R.K. Puram

Outer Ring Road

IIT-Bureau of
Indian Standards

マゼンタライン

Chirag
Delhi

IIT

Hauz Khas

Panchsheel
Park

Shaheed Jeet Singh Marg

ベグムプール
モスク

シェイフナスィー
ルッディーン廟

Basant Kaur Marg

Malviya Nagar

Pandit Trilok Chandra Sharma Marg

Lal Bahadur Shastri Marg

クトゥブ地区

クトゥブ
ミナール

メヘローリー
アーキオロジカル
パーク

Anuvrat Marg

Saket

サケット

ダル
ガオンへ

Mehrauli Badarpur Road

0km

Qutub Minar

五感の庭

5km

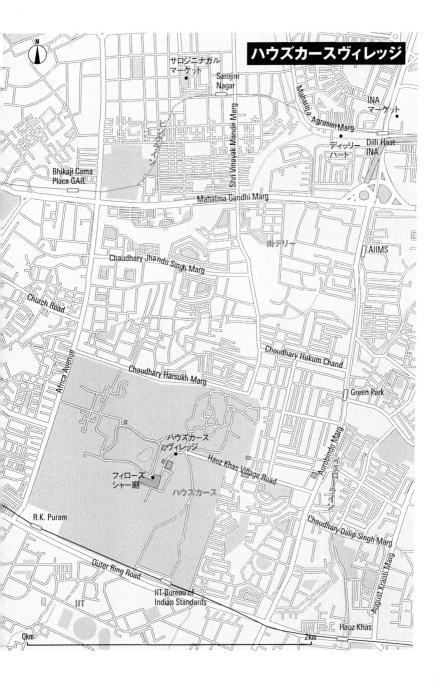

フィローズ・シャー廟 ★☆☆

Tomb of Firoz Shah／ⓗ फिरोज शाह का मकबरा　ⓐ ਫ਼ਿਰੋਜ਼ ਸ਼ਾਹ ਦਾ ਮਕਬਰਾ

ⓤ فیروز شاہ کا مقبرہ

　　ハウズ・カースに位置するトゥグルク朝第3代スルター
ン・フィローズ・シャーの墓廟。スルタンが即位した時代
(14世紀)、前代ムハンマドによってデリーからデカン高
原への遷都が試みられるなど、トゥグルク朝は混乱期に
あったが、フィローズ・シャーは学校や病院といった公
共建築を建てるなどして安定した治世を実現した。こ
の王はデリーに第5の都フィローザバードを築いている
が、その遺構がオールド・デリー南東の公園フィローズ・
シャー・コートラに残っている。

ヴェンカテシュワラバラジ寺院 ★☆☆

Venkateshwara Balaji Mandir／ⓗ वेंकटेश्वर बालाजी मंदिर

ⓐ ਵੈਂਕਟੇਸ਼ਵਰ ਬਾਲਾਜੀ ਮੰਦਰ　ⓤ وینکٹیشور بالاجی مندر

　　南インドのティルパティ（アーンドラプラデシュ州）の神さ
まを安置するヴェンカテシュワラ・バラジ寺院。ヴィシュ
ヌ神の化身であるヴェンカテシュワラ神がまつられ、南
インド様式の建築伽藍をもつ。デリーのなかでは比較的
新しい寺院となっている。

ベグムプール・モスク ★☆☆

Begumpur Mosque／ⓣ बेगमपुर मस्जिद　ⓗ ਬੇਗਮਪੁਰ ਮਸਜਿਦ

ⓤ بیگم پور مسجد

　南デリー、ベグムプール集落の南西に残る、中世デリーのベグムプール・モスク。デリーで繁栄をきわめたトゥグルク朝(1320〜1413年)の都ジャハン・パナーの中心に位置した。東西95m、南北91mのプランは、デリーでも最大規模のモスクだったとされ、64のドーム、中央の中庭、東西にイワンをそなえる様式だった。モスクの北側には宮廷の遺構が見られる。

シーリー ★☆☆

Siri／ⓣ सीरी／ⓗ ਸੀਰੀ ਕਿਲਾ　ⓤ سیری

　デリー・サルタナット朝によって築かれたデリー第2の都シーリー。クトゥブ・ミナールの北東側の位置に、奴隷王朝に続くハルジー朝のスルタン・アラーウッディーン・ハルジー (在位1296〜1316年)によって建設された(アラーウッディーン・ハルジーは、クトゥブ地区により高いアライ・ミナール造営を試みた人物)。モスクや城壁などの遺構が残っている。

シェイフ・ナスィールッディーン廟 ★☆☆

Mausoleum of Shaikh Nasir al din Mahmud／ⓣ नासिर उद् दीन महमूद का मकबरा／ⓗ ਸ਼ੇਖ ਨਸੀਰ ਅਲ ਦੀਨ ਮਹਿਮੂਦ ਦਾ ਮਕਬਰਾ／ⓤ مقبرہ ناصر الدین

　ニザームッディーン、クトゥブッディーンとならんで知られるイスラム教チシュティー派の聖者シェイフ・ナスィールッディーンの霊廟。トゥグルク朝の統治する14世紀のデリーで、イスラム教の布教につとめた。ラクナウに生まれたナスィールッディーンがデリーに来たのは40歳を超えてからのことでニザームッディーンの後継者として活躍したという。

サケット ★☆☆

Saket （ヒ）साकेत／（パ）ਸਾਕੇਤ　（ウ）ساکٹ

　商業施設が集まり、高級住宅地としても知られる南デリーのサケット。高級ブランドやカフェ、フードコートなどの入居する大型ショッピングモールでは、インド人中間層や外国人の姿も見られる。

五感の庭 ★☆☆

Garden of Five Senses／（ヒ）पांच इंद्रियों के गार्डन　（パ）ਪੰਜ ਇੰਦਰੀਆਂ ਦੇ ਬਾਗ਼　（ウ）پانچ حسوں کے باغ

　クトゥブ・ミナールに近い南デリーに広がる五感の庭。視覚や香り(五感)にうったえる色とりどりの植物が配置されていることから、この名前がつけられた。ムガル庭園、水路のほか、鳥のモニュメント、彫刻や壁画も見られる。

カイラッシュコロニー
城市案内

蓮をモチーフにした
美しいたたずまいのバハイ寺院
この国の宗教的寛容さもうかがえる

GK1 N Blockマーケット ★☆☆

GK1 N Block Market／ⓗ ग्रेटर कैलाश　Ⓐ ਜੀ ਕੇ 1 ਐਨ ਬਲਾਕ ਮਾਰਕੀਟ／
ⓤ کریہ کیلاش

　デリー市街南部のラジパット・ナガルからカイラッ
シュ・コロニーにかけてはデリーの高級住宅街となって
いる。グレーター・カイラッシュ1のNブロックには富裕
層の訪れるショップやレストラン、カフェがならび、感度
の高い雑貨、ファッションなどを発信している（GK1とは、グ
レーター・カイラッシュ1の略称）。

ネルー・プレイス ★☆☆

Nehru Place／ⓗ नेहरू प्लेस　Ⓐ ਨਹਿਰੂ ਪਲੇਸ／ⓤ نہرو پلیس

　デリー市街南東部に位置し、ITの街として知られるネ
ルー・プレイス。外資系企業のオフィスが集まり、高い教
育を受けたインド人が出勤している。

バハイ寺院 ★★★

Bahai House of Worship／ⓗ लोटस टैंपल／Ⓐ ਬਹੀ ਪੂਜਾ ਘਰ (ਬਹੀ ਹਾਊਸ ਓਫ ਵਰਸ਼ਿਪ)／
ⓤ معبد کنول

　白い蓮のかたちをした外観が印象的なバハイ寺院。バ
ハイ教はイスラム教シーア派の影響のもと、1844年のイ
ランで生まれた宗教で、世界の統合、宗教と科学の調和

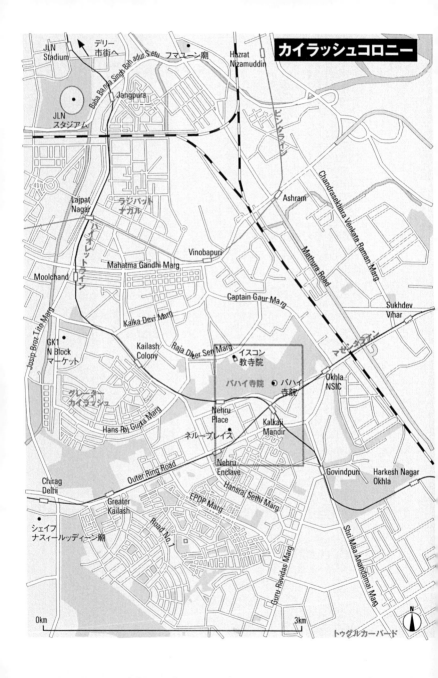

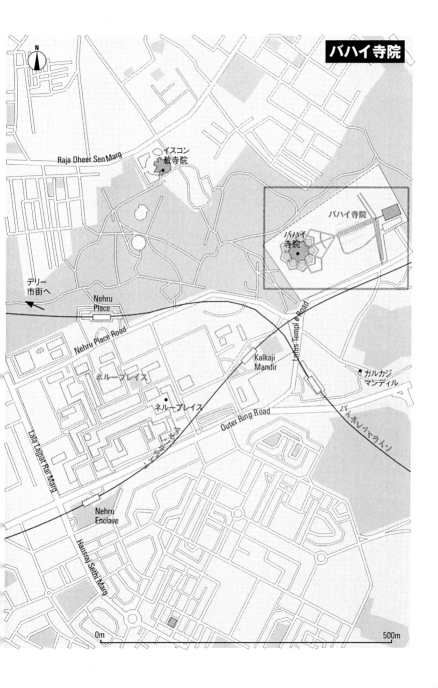

バハイ寺院

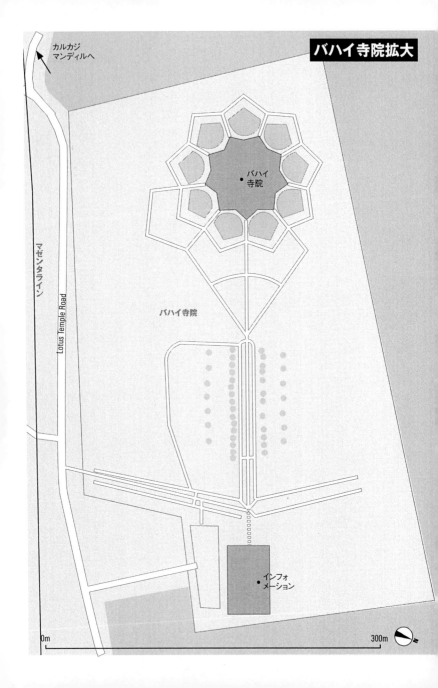

バハイ寺院拡大

カルカジ
マンディルへ

マゼンタライン

Lotus Temple Road

バハイ寺院

バハイ寺院

インフォ
メーション

0m

300m

N

などが教義とされている。19世紀にバハウッラーによってはじめられ、宗祖バハウッラーは絶対神がこの世につかわしたモーゼ、ゾロアスター、ブッダ、クリシュナ、イエス、ムハンマドなどに続く人物だとされる。植物の蓮や9という極数がバハイ教の象徴と見られ、礼拝堂は九角形のプランをもつ。信者は世界200カ国に広がり、インドでは200万人以上の信者がいるという。

イランで育まれた宗教

　ゾロアスター教をはじめ、イランではこれまでマニ教やバハイ教など世界的に広がる宗教が生まれてきた。古代ペルシャのゾロアスター教徒は、イスラム教の拡大のなかで、イランからインドに集団移住し、ムンバイに多く暮らしている。また3世紀のササン朝ペルシャの時代に生まれたマニ教は本国では異端とされたが、中国に伝わって15世紀まで続き、道教のなかで消化された。バハイ教はイランでは異端とされているが、インドにはゾロアスター教とともにバハイ教最大のコミュニティがあり、宗教に寛容な風土を感じられる。

カルカジ・マンディル ★☆☆

Kalkaji Mandir／Ⓣ कालकाजी मंदिर／Ⓗ कालकाजी मंदिर　Ⓟ کالکاجی

　バハイ寺院のそばに立つヒンドゥー寺院のカルカジ・マンディル。カーリー女神がまつられていて、こぢんま

★★★
バハイ寺院 *Bahai House of Worship*
★☆☆
GK1 N Blockマーケット *GK 1 N Block Market*
ネルー・プレイス *Nehru Place*
カルカジ・マンディル *Kalkaji Mandir*
イスコン教寺院 *ISKCON Temple*
シェイフ・クトゥブッディーン廟 *Mausoleum of Qutbuddin*
トゥグルカーバード *Tughluqabad*

りとしているが地元のヒンドゥー教徒の信仰を集めている。

イスコン教寺院 ★☆☆

ISKCON Temple ⓣ इस्कॉन मंदिर ⓗ इस्कान मंदिर／
بین الاقوامی سوسائٹی برائے کرشنا شعور ⓤ

　グレーター・カイラッシュに立つイスコン教寺院は南デリーの開発が進んだ1995年に建てられた。3つのシカラが立つ現代的な外観をもち、クリシュナ神を信仰するイスコン教(ヒンドゥー教から派生した新興宗教)の寺院となっている。

南デリーと高級住宅街

　1980年代からデリーの住宅事情は大きく変化した。当時はデリーでは一部の高額所得者しか家を立てることができなかったが、1990年代の経済自由化にともなう新中間層の台頭でよりよい住環境を求める人が増えるようになった。これにともなって南デリーが高級住宅街として整備され、グルグラム(グルガオン)には高層マンションが姿を見せるようになった(開発が郊外に進んだ)。またこのあいだに金融機関の融資制度などが整備されることになったことも、住宅開発の後押しとなった。

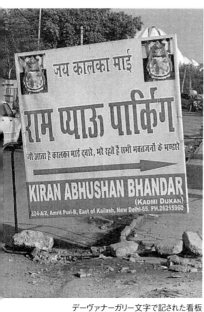

デーヴァナーガリー文字で記された看板

美しいファッションをまとったインド人女性がゆく

蓮のかたちをしたバハイ寺院

カイラッシュ・コロニーにはインド人富裕層も多い

Tughluqabad

トゥグルカーバード
城市案内

デリーから南東に位置するトゥグラカーバード
デリーサルタナット朝時代の傑作建築のひとつ
ギヤース・アッディーン廟が残る

トゥグルカーバード ★☆☆

Tughluqabad ⓗ तुग्लाकाबाद Ⓝ तुगलकाबाद／ⓤ طغلق‌آباد

　14世紀、トゥグルク朝のスルタン・ギヤース・アッディーンと続くムハンマドの時代に築かれた城壁都市トゥグルカーバードの遺構。ラール・コート、シーリーに続くデリー第3の都で、この時代、デリー・サルタナット朝は最高の繁栄を見せていた（デリーのスルタンは南インドに影響をもった）。この都の造営を命じたギヤース・アッディーンはベンガルからの遠征の帰路、宿営地の天井の落下で生命を落とし、完成を見ることがなかった。

ギヤース・アッディーン廟 ★★☆

Tomb of Ghiyath ad-Din／ⓗ गयासुद्दीन तुगलक का मकबरा
Ⓝ घियात-अद-दीन दा कबर／ⓤ غیاث الدین تغلق کا مقبرہ

　赤砂岩の本体に白いドームが載るギヤース・アッディーン霊廟。ほぼ完全なかたちで残っていて、デリー・サルタナット朝を代表する建築となっている。アラーウッディーン・ハルジー死後、ハルジー朝は混乱し、そんななかパンジャーブの将軍ギヤース・アッディーンが1320年、スルタンを名乗ってトゥグルク朝を樹立した。この時代、スルタンの威光は南インドにまでおよび、ムハンマドやフィローズ・シャーなど傑出したスルタンによっ

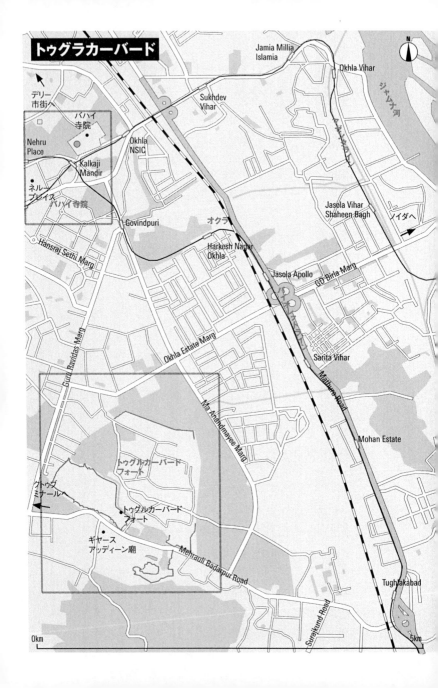

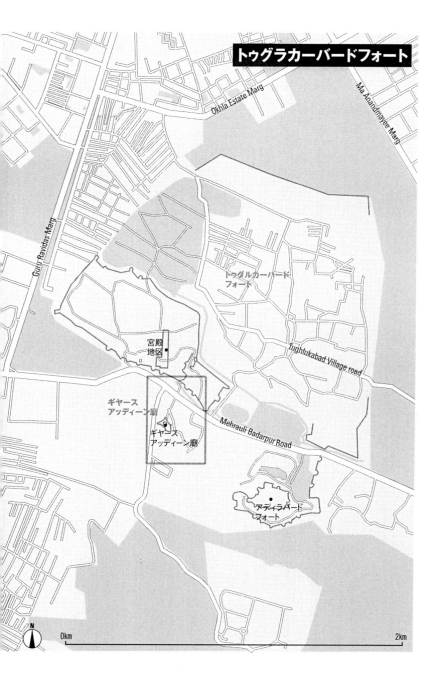

トゥグラカーバードフォート

Okhla Estate Marg

Ma Anandmayee Marg

Guru Ravidas Marg

トゥグルカーバード
フォート

宮殿
地区

Tughlukabad Village road

ギャース
アッディーン廟

ギャース
アッディーン廟

Mehrauli Badarpur Road

アディラバード
フォート

N

0km   2km

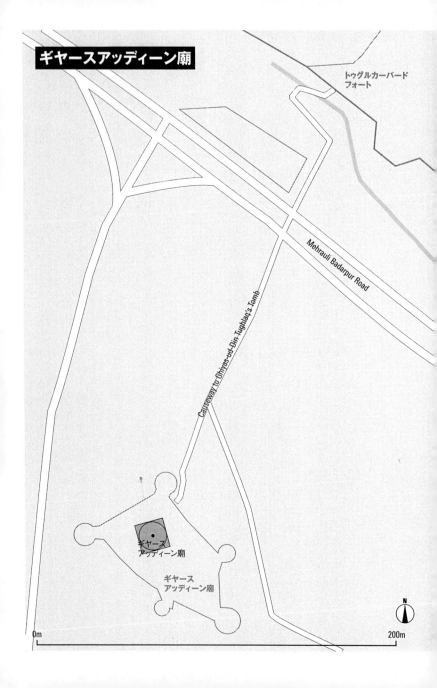

ギヤースアッディーン廟

トゥグルカーバード
フォート

Mehrauli Badarpur Road

Causeway to Ghiyas-ud-Din-Tughlaq's Tomb

ギヤース
アッディーン廟

ギヤース
アッディーン廟

N

0m   200m

て、トゥグルカーバード、ジャハーン・パナー、フィローザ
バードといった都が次々に造営された。

「天才と狂人」ムハンマド・ビン・トゥグルク

　ギヤース・アッディーンのそばに眠るスルタン・ムハン
マド・ビン・トゥグルクは、デリー・サルタナット朝のなか
で一際異彩を放つ。トゥグルク朝第3代スルタンに即位
すると（一説には自らの父を暗殺したという）、デリーからインド
各地に兵を送り、デカンにダウラターバード（富の街）を築
いて、デリーの住民を強制的に移住させた。早急な計画の
ため遷都は失敗に終わったが、デリーに戻ってきてから
は古い都ラールコート、シーリー、トゥグラカーバードを
城壁で結ぶ巨大な第4の都ジャンパナーの造営にとりか
かった（チベットにまで兵を送ろうと考えていたという）。ムハンマ
ド・ビン・トゥグルクの治世のあいだにアラブの旅行家イ
ブン・バットゥータがその宮廷を訪れ、「天才と狂人」とス
ルタンを評している。

★★★
バハイ寺院 *Bahai House of Worship*
★★☆
ギース・アッディーン廟 *Tomb of Ghiyath ad-Din*
★☆☆
トゥグルカーバード *Tughluqabad*
ネルー・プレイス *Nehru Place*

インド・イスラム建築の傑作のひとつギース・アッディーン廟

廃墟となったデリー第3の都トゥグルカーバード

Delhi Airport
デリー空港城市案内

デリー市街の南西部に位置するデリー空港
高級住宅街のバサントクンジやグルグラムへも近く
あたりは注目を集める新市街エリアとなっている

インディラ・ガンディー国際空港 ★☆☆

Indira Gandhi International Airport ⓗ इंदिरा गांधी अन्तर्राष्ट्रीय विमानक्षेत्र／
ⓝ ਇੰਦਰਾ ਗਾਂਧੀ ਅੰਤਰਰਾਸ਼ਟਰੀ ਹਵਾਈ ਅੱਡਾ ⓤ اندرا گاندھی انٹرنیشنل ائیرپورٹ

　デリーの南西に位置するインディラ・ガンディー国際
空港。南アジアのハブ空港として開業し、デリー市街部
とはエアポートメトロで結ばれている。またちょうどデ
リーとグルグラム(グルガオン)のあいだに位置し、グルグラ
ム(グルガオン)は空港から10kmという地の利がある。

バサントクンジ ★☆☆

Vasant Kunj／ⓗ वसंत कुंज ⓝ ਵਸੰਤ ਕੁੰਜ ⓤ وسنت کنج

　バサントクンジは、デリー空港やクトゥブ・ミナール
にも近いデリーの高級住宅地。20世紀なかごろまでこの
あたりは農地が広がっていたが、1960年代に政府が買収
し、1980年代から開発がはじまった。周囲を緑に囲まれ、
大型ショッピングモール、レストラン、映画館などが位置
し、ナイトライフも楽しめる。インドの政治家やクリケッ
ト選手など、裕福な層が暮らしている。

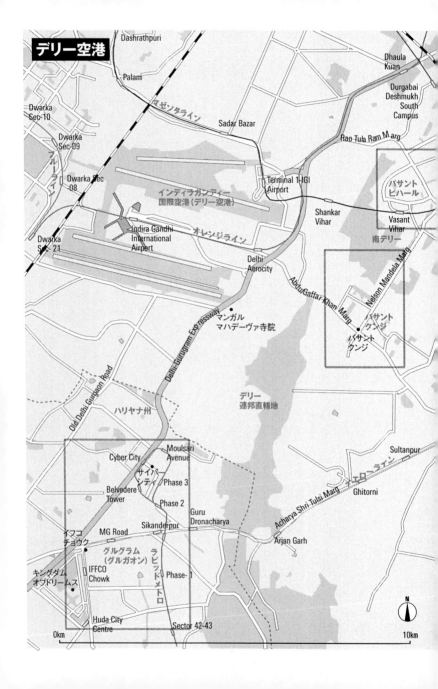

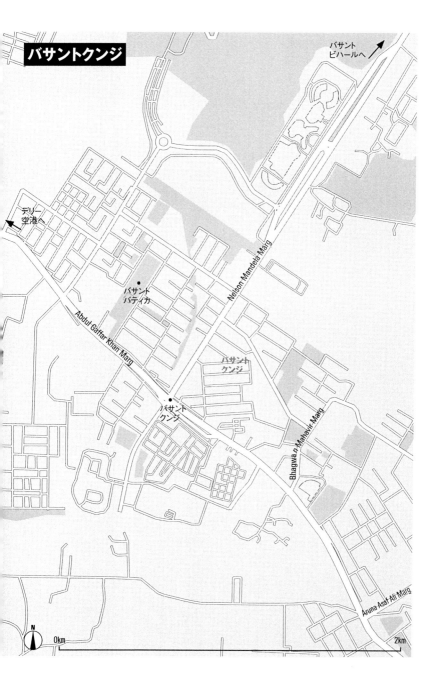

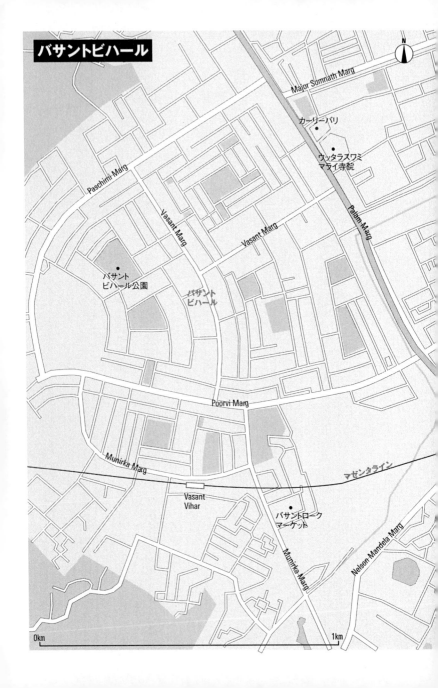

バサントビハール

N

Major Somnath Marg

カーリーバリ

ウッタラスワミ
マライ寺院

Paschimi Marg

Palam Marg

Vasant Marg

Vasant Marg

バサント
ビハール公園

バサント
ビハール

Poorvi Marg

Munirka Marg

マゼンタライン

Vasant
Vihar

バサントローク
マーケット

Munirka Marg

Nelson Mandela Marg

0km

1km

バサント・ローク・マーケット ★☆☆

Basant Lok Market ⓉⓇ वसंत विहार／Ⓗ बसंत लोक मारकीट／Ⓟ بسنت لوک ؛

リング・ロードを越えたデリー市街の南西部に位置するバサント・ローク・マーケット。デリーの経済発展にともなってショップや銀行、レストランなどが集まるようになった。

ウッタラスワミマライ寺院 ★☆☆

Uttara Swani Malai Temple Ⓣ उत्तरा स्वामी मलाई मंदिर／
Ⓗ स्वामी मलाई मंदिर／Ⓟ اتراسوامی ملائی مندر

南インドのムルガン神（シュリー・スワミナータ・スワミ）をまつるウッタラスワミマライ寺院。「マライ・マンディル」とも呼ばれ、マライとはタミル語で「山」を、マンディルはヒンディー語で「寺院」を意味する。デリーに暮らす南インド人が1944年から自らの故郷の神さまをまつるようになり、1973年にヒンドゥー教の儀式が行なわれて正式な寺院となった。南インドのドラヴィダ様式の建築で、デリーにおけるムルガン神（シュリー・スワミナータ・スワミ）信仰の中心となっている。

カーリーバリ ★☆☆

Dakshin Delhi Kalibari Association　ⓗ दक्षिण दिल्ली कालीबाड़ी／
ⓐ ਦੱਖਣੀ ਦਿੱਲੀ ਕਾਲੀਬਾੜੀ／ⓤ جنوبی دلی کالیباری

　恐ろしい姿をしたカーリー女神をまつるダクシン・デ
リー・カーリーバリ。カーリー女神は、黒色の顔と身体、黄
金の冠、赤の服という姿をしている。

マンガルマハデーヴァ寺院 ★☆☆

Mangal Mahadev Mandir　ⓗ मंगल महादेव मंदिर　ⓐ ਸ਼ਿਵ ਮੂਰਤੀ
ⓤ شیوا کا مجسمہ

　デリー空港の近くに位置するマンガル・マハデーヴァ
寺院。巨大なシヴァ神の銅像が立つほか、クリシュナ神や
ラーマ神の像も見える。

デリー南部とグルガオンを中心に開発が進む　インド人女性とインド人男性、インディラ·ガンディー国際空港にて

Gurugram
グルグラム城市案内

デリーの南32kmに位置するグルグラム
行政上はハリヤナ州にあたり
地下鉄や国道8号線でデリーと結ばれている

グルグラム（グルガオン）★★☆
Gurugram／ⓣगुरुग्राम／ⓗगुरुग्राम／ⓤ گروگرام

　デリーに隣接するグルグラム（グルガオン）は、デリーの衛星都市という性格をもち、急速に発展を続けている。このグルグラムは長らくグルガオンの名前で知られ、20世紀のはじめには5000人ほどが暮らすほとんど何もない農村だった。拡大するデリー首都圏構想のもと、20世紀なかごろから人口が増加しはじめ、2001年の計画人口100万人を上まわる速度で成長をとげた（1960年代から新興工業都市として発展をはじめた）。この新しくたちあがった新市街には、外資、インド系企業などがオフィスやコールセンターを構える高層ビル、大型ショッピングモールが立ち、緑地などを配して環境にも配慮された街区をもつ。そして、ビジネスマンや新中間層などの消費意欲の旺盛な人びとが行き交っている。2016年にグルガオンからグルグラムへと名称が変更された。

サイバーシティ ★☆☆
DLF Cyber City　ⓣडीएलएफ साइबर सिटी　ⓗडी.एल.एफ. साइबर सिटी／
ⓤ سائبر سٹی

　コンピュータやネット企業の集まるオフィス、ITパークからなるサイバーシティ。インドの不動産会社DLFに

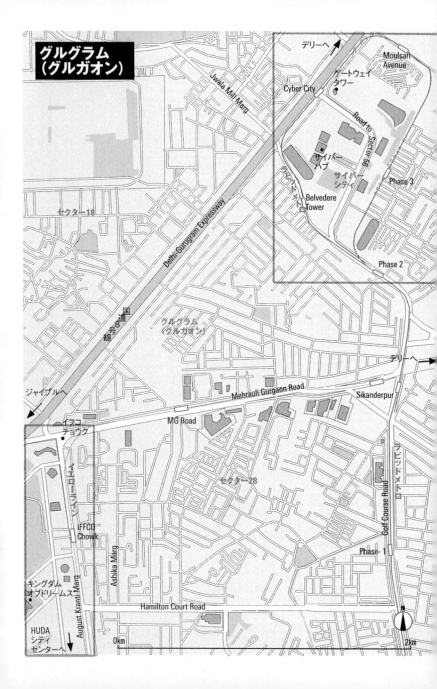

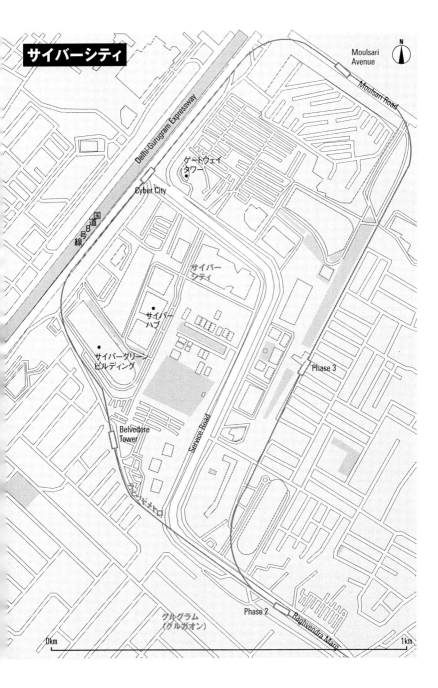

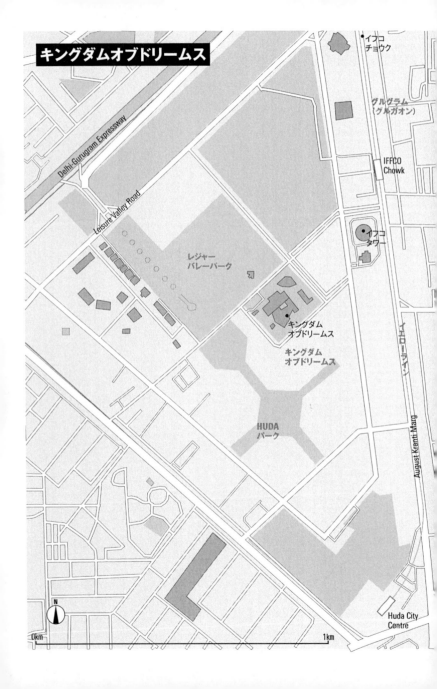

よって2003年に開発されて以来、インド屈指のビジネス地区としてグルグラムの発展をになってきた。サイバーシティへの入口にゲートウェイタワーが立ち、サイバーグリーンビルディングをはじめとするオフィスビルが立ちならぶ。デリーとグルグラムを結ぶメトロから枝わかれしたラピッド・メトロがぐるりとサイバーシティをとりかこんでいる。

イフコ・チョウク ★☆☆
IFFCO Chowk／ⓣ इफको चौक　ⓝ ਇਫਕੋ ਚੌਕ　ⓤ اِفکو چوک

　イフコ・チョウクはMGロードとMFフセインマルグの交わる地点にあり、グルグラムの街歩きの起点になる。周囲にはショッピングモールがならび、大型テーマパークのキングダム・オブ・ドリームスにも近い。

キングダム・オブ・ドリームス ★☆☆
Kingdom Of Dreams　ⓣ किंगडम ऑफ ड्रीम्स
ⓝ ਕਿੰਗਡਮ ਓਫ ਡ੍ਰੀਮ੍ਸ (ਸੁਪਨਿਆਂ ਦਾ ਰਾਜ)　ⓤ خوابوں کی سلطنت

　インド各地の伝統文化、ファッション、工芸品、料理、アート、パフォーマンスで彩られ、ライブ・エンターテインメントを体感できるキングダム・オブ・ドリームス。ダンスと音楽満載の映画、演劇が上演される劇場「ナウタンキ・マハル」、アートや工芸品が展示される「カルチャー・ガリー」、インド神話が演じられる「ショーシャ・シアター」、ボリウッドをテーマにしたカフェの「IIFAバズ」などからなる。2010年にオープンした。

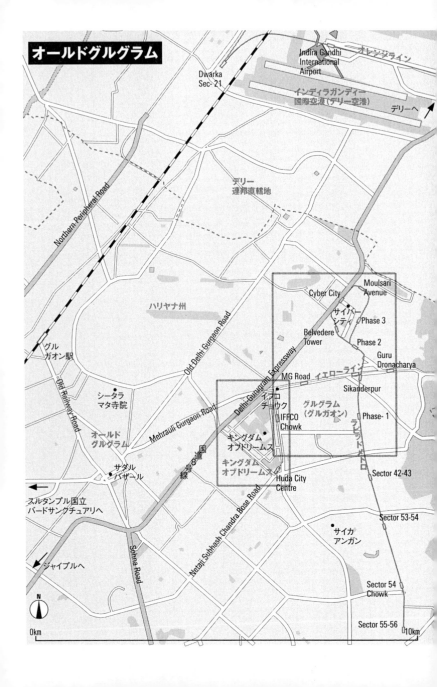

オールド・グルグラム ★☆☆
Old Gurugram／ⓔ पुराना गुरुग्राम／ⓗ ਪੁਰਾਣਾ ਗੁਰੁਗ੍ਰਾਮ／ⓤ پرانا گروگرام

　　グルグラムという地名は「精神的指導者の村（グルグラム村）」に由来し、グルグラムが現在の姿になる以前からの、オールド・グルグラムも残っている。グルグラムには長らくヒンドゥー教徒の部族が暮らしていて、その後、ムガル帝国、イギリスへと統治者を替えていった経緯がある（この地方の農産物の集散地であるグルグラムには、1816年から行政機構がおかれていた）。この地は1857年のインド大反乱以後、パンジャーブ州だったが、1966年より、そこから分離して誕生したハリヤナ州の領域となっている。このオールド・グルグラムの伝統的なサダル・バザールは喧騒にあふれ、ヒンドゥー寺院、ジャマー・マスジッド、シク教寺院のグルドワーラーなども残っている。そして、あたりの居住者は新中間層と呼ばれる人々とは職業や生活スタイルが大きく異なっている。

シータラマタ寺院 ★☆☆
Sheetala Mata Temple　ⓔ शीतला माता मंदिर／ⓗ ਸ਼੍ਰੀਤਲਾ ਮਾਤਾ ਮੰਦਰ
ⓤ شیتلا مان مندر

　　都市グルグラムが現れる以前からあり、村の守護神シータラマタ女神がまつられたシータラマタ寺院。ヒンドゥー教の9つあるシャクティ派の一派で、天然痘に困っていた人を助けた女性ラリタが、村の人たちによって女

★★☆
グルグラム（グルガオン） *Gurugram*
キングダム・オブ・ドリームス *Kingdom Of Dreams*
★☆☆
オールド・グルグラム *Old Gurugram*
シータラマタ寺院 *Sheetala Mata Temple*
サイ・カ・アンガン *Sai Ka Angan*
サイバーシティ *DLF Cyber City*
イフコ・チョウク *IFFCO Chowk*
インディラ・ガンディー国際空港 *Indira Gandhi International Airport*

神として神格化されていった（ラリタは『マハーバーラタ』のドローナの妻クリピと同一視される）。現在の寺院はバーラトプルのジャワハル・シン王がムガル帝国に対する勝利の記念として建てたもの。ナヴァラトリやディワリといった祭りでは多くの人が訪れ、長らくこの地方の信仰の中心地となってきた。

サイ・カ・アンガン ★☆☆
Sai Ka Angan ⓗ साई का आंगन／Ⓐ ਸਾਈ ਬਾਬਾ ਮੰਦਰ／ⓤ سائی بابا مندر

　聖者シルディのサイババ（〜1918年）に捧げられたサイ・カ・アンガン。マハラシュトラのシルディに生き、ニームの木で瞑想して修行したサイババは広く信者を集めた。2000年に祭祀が行なわれ、この地でシルディのものをもとにした民居（アンガン）のような寺院が完成した。サイ・カ・アンガンとは「サイババの家」を意味する（アンガンとは、北インドの土壁の囲まれた中庭をもつ住居のこと）。

スルタンプル国立バードサンクチュアリ ★☆☆
Sultanpur National Bird Sanctuary／ⓗ सुल्तानपुर राष्ट्रीय उद्यान／Ⓐ ਸੁਲਤਾਨਪੁਰ ਰਾਸ਼ਟਰੀ ਪੰਛੀ ਸੈਂਕਚੁਰੀ ⓤ سلطان پور نیشنل برڈ

　グルグラム中心部から西に17km離れた、のどかな郊外に広がるスルタンプル国立バードサンクチュアリ。この鳥類保護区の巨大な湖には、毎年100種類ほどの渡り鳥が訪れ、繁殖を行なっている。

Noida

ノイダ城市案内

デリーからジャムナ河を越えた先は
ウッタル・プラデーシュ州
開発が進むノイダが位置する

ノイダ ★☆☆

Noida ⓣ नोएडा ⓗ नोएडा ⓤ نوئيڈا

　ジャムナ河をはさんで南東に位置するデリーの衛星都
市ノイダ。デリー首都圏構想のもと1970年代から開発が
はじまった新興工業都市で、ウッタル・プラデーシュ州に
位置する(デリーとの州境、国道24号線、ヒンダン川に囲まれた場所)。
地下鉄で結ばれたデリーへの立地、土地の価格や優遇制
度などから、自動車産業をはじめとする各国企業の進出
が進み、開発時期にあわせてフェイズ1、2、3という地名
が見られる。

ノイダの開発

　デリー市街に集中する産業構造を郊外に移すという計
画は1970年代から進み、当初南デリーのオクラに工業団
地が構えられていた。橋でオクラと結ばれているノイダ
という名前は、ニューオクラ工業開発公社の略称で、それ
がそのまま地名になった。ノイダの開発は、この公団主導
で進められ、現在、このノイダのさらに南東10〜15kmの場
所にグレーターノイダが開発されている(完成車メーカーは
より広い敷地面積がとれるグレーターノイダ、部品メーカーなどはノイダ
に工場を構えるなどの性格があるという)。

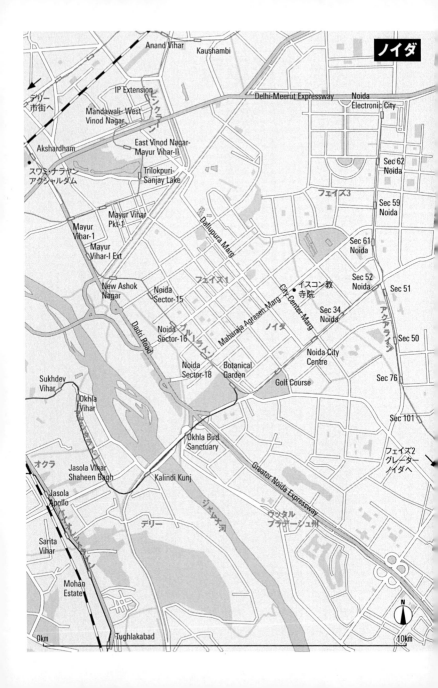

デリーはヒンドゥー教とイスラム教が共存する都

クトゥブ地区のモスクはヒンドゥー寺院を壊してつくられた

イスラムのインド浸透

Islam No India

シヴァやヴィシュヌなど多くの神々をもつヒンドゥー教
一方、イスラム教では絶対神アッラーが信仰される
神と神々をいただく宗教の交わり

ヒンドゥー教とイスラム教

　インドでは、中世のイスラム教徒の侵入以来、ヒンドゥー教(インド人の8割が信仰する)とイスラム教(少数派ながら1億人以上の信者を抱える)が共存している。インドの自然や風土から育まれた土着の多神教と、アラビア半島で生まれた一神教は、偶像崇拝をめぐる見解など、教義や信仰形態が大きく異なる。とくにムガル帝国第6代アウラングゼーブ帝や近代イギリスの宗教分離政策で両者は対立を深めることになった。イスラム教徒を中心としたパキスタンは英領インドから分離独立し、さらにそこから「ベンガル人の国」バングラデシュが再独立している。

イスラム征服者

　7世紀、アラビア半島で生まれたイスラム教は、預言者ムハンマドの死後も勢力を拡大させ、711年、インダス河下流域のシンド地方をアラブ軍が征服したことで南アジアにはじめてイスラム教が伝わった。その後、中央アジアのイスラム王朝(ガズニ朝、ゴール朝)が富を求めてインドに侵入し、略奪、殺戮を繰り返した。これらの王朝はインド侵略後、本拠の中央アジアへ引き返したが、ゴール朝の武

ヒンドゥー教とイスラム教のかんたんな比較

	ヒンドゥー教	イスラム教
神	多神教	一神教
中世のおもな信者	被支配者のインド人	統治者のペルシャ、トルコ人
偶像崇拝	有	無
性格	他宗教へ寛容	「コーラン」の教えに厳格
特徴	インド土着の宗教	世界的に広がる宗教
埋葬	火葬して遺灰を河に流す	土葬し、墓に納める
食べもののタブー	聖なる生きもの牛	ブタを口にしてはならない

将クトゥブッディーン・アイバクはデリーで奴隷王朝を
創始し、以後、デリーに都をおいたデリー・サルタナット
朝が300年続いた。また16世紀、ムガル帝国が樹立され、
デリーは第5代シャー・ジャハーン帝以後、帝国の都とな
り、600年間にわたってデリーはイスラム統治者をあおぐ
ことになった。

イスラム教への改宗

　7世紀にアラビア半島がイスラム化すると、商人たち
は行く先々の港で礼拝を行ない、妻をめとったことから
南インドのマラバール海岸などでは早くからイスラム教
に帰依したインド人がいたと考えられる(グジャラート、カリ
カットなどにイスラムコミュニティがあった)。またイスラム聖者
が庵を結んで布教を行ない、ヒンドゥー教徒がイスラム
聖者を信仰するといった現象も起こっていた(デリーではニ
ザームッディーン・アウリヤー廟などが残る)。イスラム教では絶対
神アッラーの前では人はみな平等だと説かれるため、低
カースト者が改宗するといった事例が見られた。

『多重都市デリー』(荒松雄/中央公論社)

『世界の歴史14ムガル帝国から英領インドへ』(佐藤正哲/中央公論社)

『インド建築案内』(神谷武夫/TOTO出版)

『ヒンドゥー教とイスラム教』(荒松雄/岩波書店)

『デリー』(東京大学東洋文化研究所)

『デリー南郊・グルガオンにおける都市開発』(由井義通/季刊地理学)

『デリー首都圏における自動車工業の集積とその地域構造　ノイダ, グレーター・ノイダ
を事例として』(友澤和夫/経済地理学年報)

『世界大百科事典』(平凡社)

東京大学東洋文化研究所所蔵 インド史跡調査デジタルアーカイブhttp://www.ioc.
u-tokyo.ac.jp/~islamarc/

Welcome to Delhi Tourism http://delhitourism.gov.in/

National Mission on Monuments and Antiquities http://nmma.nic.in/nmma/indexAction.do

Welcome to Swami Malai Mandir http://malaimandir.org.in/

Dakshin Delhi Kalibari http://www.dakshindelhikalibari.com/

BhaktiBharat.com https://www.bhaktibharat.com/

Gurugram https://gurugram.gov.in/

Sai Ka Angan http://www.saikaangan.com/

[PDF]デリー地下鉄路線図http://machigotopub.com/pdf/delhimetro.pdf

[PDF]デリー空港案内http://machigotopub.com/pdf/delhiairport.pdf

OpenStreetMap

(C)OpenStreetMap contributors

南デリー／イスラム征服王朝と「その足跡」

まちごとパブリッシングの旅行ガイド

Machigoto INDIA , Machigoto ASIA , Machigoto CHINA

まちごとパブリッシングの旅行ガイド

マカオ-まちごとチャイナ

Juo-Mujin（電子書籍のみ）

自力旅游中国Tabisuru CHINA

まちごとパブリッシングの旅行ガイド

旅のインド文字

英語
ヒンディー語
パンジャーブ語
ウルドゥー語

南デリー South Delhi	クトゥブ地区 Qutb Area
दक्षिण दिल्ली	कुतुब परिसर
ਦੱਖਣੀ ਦਿੱਲੀ	ਕੁਤਬ ਖੇਤਰ
جنوبی دہلی	قطب کمپلیکس

クトゥブ・ミナール Qutb Minar	クワット・アル・イスラム・モスク Quwwat al-Islam Mosque
कुतुब मीनार	कुव्वत उल इस्लाम मस्जिद
ਕੁਤਬ ਮੀਨਾਰ	ਕੁੱਵੇਤ ਅਲ-ਇਸਲਾਮ ਮਸਜਿਦ
قطب مینار	قوّتول اسلام مسجد

チャンドラヴァルマン王の鉄柱 Iron Pillar	アライ・ミナール Alai Minar
लौह स्तंभ	अलाई मीनार
ਲੋਹੇ ਦਾ ਥੰਮ	ਅਲੈ ਮੀਨਾਰ
آئرن ستون	علائی مینار

スルタン・イレトゥミシュの墓
Mausoleum of Iltmish

इल्तुतमिश का मकबरा

ਸੁਲਤਾਨ ਇਲਤੁਮਿਸ਼ ਦਾ ਮਕਬਰਾ

التتمش کا مقبرہ

アラーウッディーン・ハルジーの墓
Tomb of Ala'al Din Khalji

अलाउद्दीन खिलजी का मकबरा

ਅਲਾਅਲ ਦੀਨ ਖਾਲਜੀ ਦਾ ਮਕਬਰਾ

علاؤالدین خلجی کا مقبرہ

アライ・ダルワザ
Alai Darwaza

अलाई दरवाज़ा

ਅਲੈ ਦਰਵਾਜ਼ਾ

علائی دروازہ

メローリー・アーキオロジカルパーク
Mehrauli Archaeological Park

मेहरौली पुरातत्व पार्क

ਮਹਰੌਲੀ ਪੁਰਾਤੱਤਵ ਪਾਰਕ

مہرؤلی

バルバンの墓
Tomb of Balban

बलबन का मकबरा

ਬੱਲਬਾਨ ਦਾ ਮਕਬਰਾ

بلبن کا مقبرہ

ジャマリ・カマリの墓とモスク
Jamali Kamali Tomb and Mosque

जमाली कमाली का मकबरा और मस्जिद

ਜਮਾਲੀ ਕਮਾਲੀ ਦਾ ਮਕਬਰਾ ਅਤੇ ਮਸੀਤ

جمالی کمالی مسجد اور مقبرہ

ラジオンの階段井戸
Rajon Ki Baoli

राजों की बावली

ਬਾਉਲੀ

بالی

ダダバリ・ジャイナ寺院
Jain Mandir Dadabari

जैन मंदिर दादाबाड़ी

ਜੈਨ ਮੰਦਿਰ

جین مندر

シェイフ・クトゥブッディーン廟
Mausoleum of Qutbuddin

कुतबुद्दीन बख्तियार काकी का मकबरा

ਕੁਤਬੁਦੀਨ ਦੇ ਮਕਬਰਾ

قطب الدین کا مقبرہ

ラールコート
Lal Kot

लालकोट

ਲਾਲ ਕੋਟ

لالکوٹ

チャッタルプル寺院
Chhatarpur Mandir

छत्तरपुर मंदिर

ਛਤਰਪੁਰ ਮੰਦਰ

چھترپور مندر

ハウズ・カース
Hauz Khas

हौज़ खास

ਹੌਜ਼ ਖਾਸ

حوض خاص

ハウズ・カース・ヴィレッジ
Hauz Khas Village

हौज़ खास गांव

ਹੌਜ਼ ਖਾਸ ਪਿੰਡ

حوض خاص گاؤں

フィローズ・シャー廟
Tomb of Firoz Shah

फिरोज शाह का मकबरा

ਫ਼ਿਰੋਜ਼ ਸ਼ਾਹ ਦਾ ਮਕਬਰਾ

فیروز شاہ کا مقبرہ

ヴェンカテシュワラバラジ寺院
Venkateshwara Balaji Mandir

वेंकटेश्वर बालाजी मंदिर

ਵੈਂਕਟੇਸ਼ਵਰ ਬਾਲਾਜੀ ਮੰਦਰ

وینکٹیشور مندر

ベグムプール・モスク
Begumpur Mosque

बेगमपुर मस्जिद

ਬੇਗਮਪੁਰ ਮਸਜਿਦ

بیگم پور مسجد

シーリー
Siri

सीरी

ਸੀਰੀ ਕਿਲ੍ਹਾ

سری

シェイフ・ナスィールッディーン廟
Mausoleum of Shaikh Nasir al din Mahmud

नासिर उद दीन महमूद का मकबरा

ਨਸੀਰ ਅਲ ਦੀਨ ਮਹਿਮੂਦ ਦਾ ਮਕਬਰਾ

ناصرالدین کا مقبرہ

サケット
Saket

साकेत

ਸਾਕੇਤ

ساکت

五感の庭
Garden of Five Senses

पांच इंद्रियों के गार्डन

ਪੰਜ ਇੰਦਰੀਆਂ ਦੇ ਬਾਗ਼

پانچ حواس کے باغ

GK1 N Blockマーケット
GK1 N Block Market

ग्रेटर कैलाश

ਜੀ ਕੇ 1 ਐਨ ਬਲਾਕ ਮਾਰਕੀਟ

گریٹر کیلاش

ネルー・プレイス
Nehru Place

नेहरु प्लेस

ਨਹਿਰੂ ਪਲੇਸ

نہرو پلیس

バハイ寺院
Bahai House of Worship

लोटस टैंपल

ਬਹੈ ਪੂਜਾ ਘਰ (ਬਹੈ ਹਾਊਸ ਓਫ ਵਰਸ਼ਿਪ)

معبد کنول

カルカジ・マンディル
Kalkaji Mandir

कालकाजी मंदिर

ਕਾਲਕਾਜੀ ਮੰਦਿਰ

کالکا مندر

イスコン教寺院
ISKCON Temple

इस्क्रों मंदिर

ਇਸਕਾਨ ਮੰਦਰ

بین الاقوامی سوسائٹی برائے کرشنا شعور

トゥグルカーバード
Tughluqabad

तुघ्लाकाबाद

ਤੁਗਲਕਾਬਾਦ

تغلاکاآباد

ギヤース・アッディーン廟
Tomb of Ghiyath ad-Din

गयासुद्दीन तुगलक का मकबरा

ध्यिघात-ਅਦ-ਦੀਨ ਦਾ ਕਬਰ

غیاث الدین تغلق کا مقبرہ

インディラ・ガンディー国際空港
Indira Gandhi International Airport

इंदिरा गांधी अन्तर्राष्ट्रीय विमानक्षेत्र

ਇੰਦਰਾ ਗਾਂਧੀ ਅੰਤਰਰਾਸ਼ਟਰੀ ਹਵਾਈ ਅੱਡਾ

اندرا گاندھی انٹرنیشنل ایرپورٹ

バサントクンジ
Vasant Kunj

वसंत कुंज

ਵਸੰਤ ਕੁੰਜ

وسنت کنج

バサント・ローク・マーケット
Basant Lok Market

वसंत विहार

ਬਸੰਤ ਲੇਕ ਮਾਰਕੀਟ

وسنت وہار

ウッタラスワミマライ寺院
Uttara Swami Malai Temple

उत्तरा स्वामी मलाई मंदिर

ਸਵਾਮੀ ਮਲਾਈ ਮੰਦਰ

سوامی مالائی مندر

カーリーバリ
Dakshin Delhi Kalibari Association

दक्षिण दिल्ली कालीबाड़ी

ਦੱਖਣੀ ਦਿੱਲੀ ਕਾਲੀਬਾਰੀ

جنوبی دہلی کالیبری

マンガルマハデーヴァ寺院 Mangal Mahadev Mandir	**グルグラム（グルガオン）** Gurugram
मंगल महादेव मंदिर	गुरुग्राम
ਸ਼ਿਵ ਮੂਰਤੀ	ਗੁਰੂਗ੍ਰਾਮ
پرانی دہلی	گروگرام
サイバーシティ DLF Cyber City	**イフコ・チョウク** IFFCO Chowk
डीएलएफ साइबर सिटी	इफको चौक
ਡੀ.ਐਲ.ਐਫ. ਸਾਈਬਰ ਸਿਟੀ	ਇਫਕੋ ਚੌਕ
سائبر سٹی	اِفکوچوک
キングダム・オブ・ドリームス Kingdom Of Dreams	**オールド・グルグラム** Old Gurugram
किंगडम ऑफ ड्रीम्स	पुराना गुरुग्राम
ਕਿੰਗਡਮ ਓਫ ਡ੍ਰੀਮ੍ਸ (ਸੁਪਨਿਆਂ ਦਾ ਰਾਜ)	ਪੁਰਾਣਾ ਗੁਰੂਗ੍ਰਾਮ
خوابوں کی بادشاہی	پرانا گروگرام
シータラマタ寺院 Sheetala Mata Temple	**サイ・カ・アンガン** Sai Ka Angan
शीतला माता मंदिर	साई का आंगन
ਸ਼ੀਤਲਾ ਮਾਤਾ ਮੰਦਰ	ਸਾਈਂ ਬਾਬਾ ਮੰਦਰ
شیتلا ماں مندر	سائی بابا مندر

スルタンプル国立バードサンクチュアリ
Sultanpur National Bird Sanctuary

सुल्तानपुर राष्ट्रीय उद्यान

ਸੁਲਤਾਨਪੁਰ ਰਾਸ਼ਟਰੀ ਪੰਛੀ ਸੈਂਕਚੁਰੀ

سلطپور نیشنل پارک

ノイダ
Noida

नोएडा

ਨੋਇਡਾ

نوئیڈا

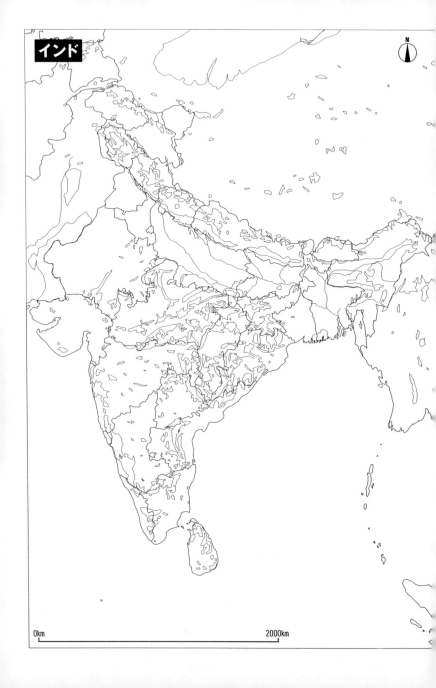

インド

N

0km   2000km

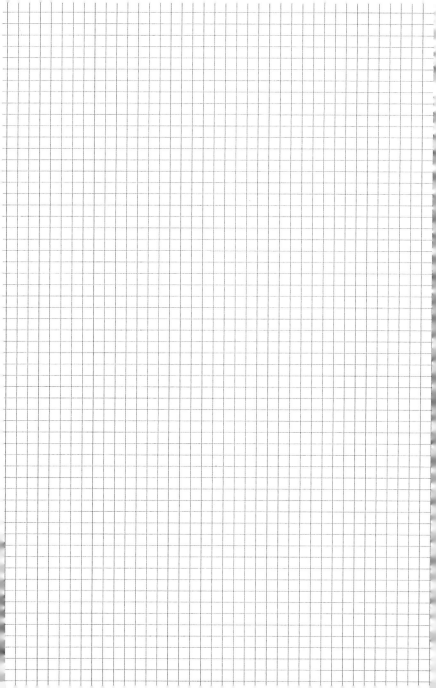

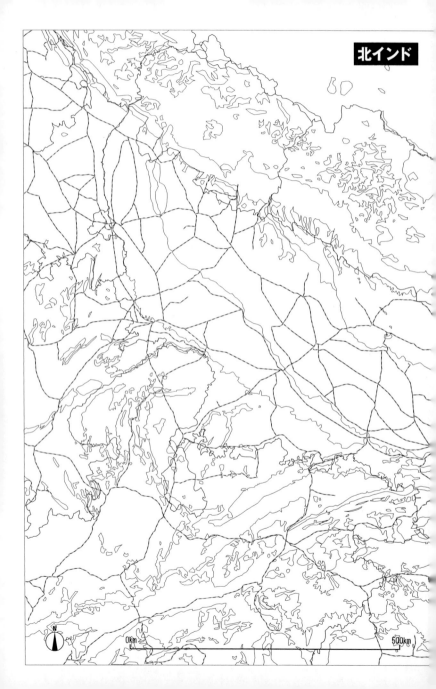

北インド

N

0Km 500Km

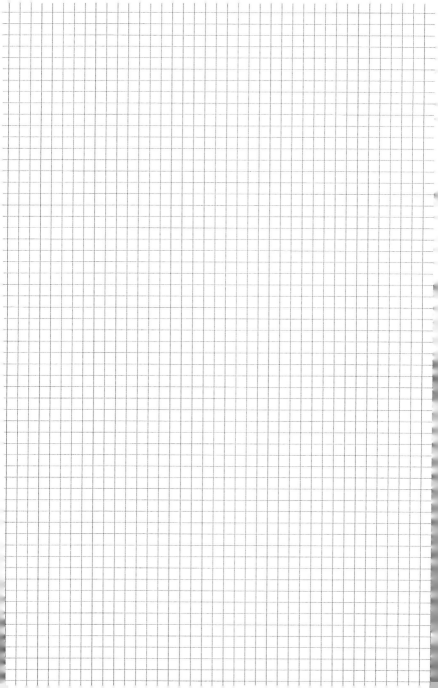

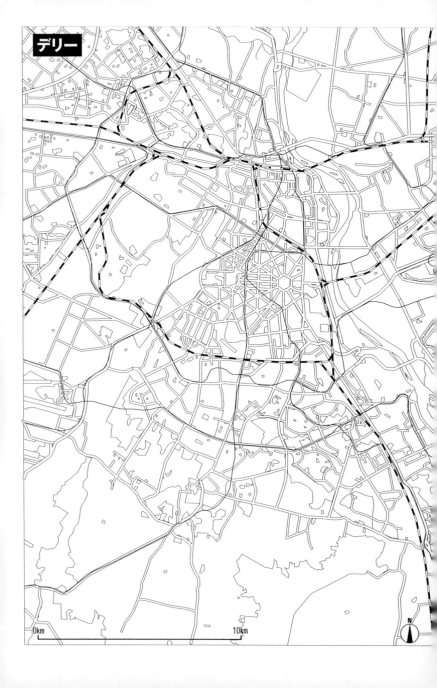

デリー

0km　　　　　　　　　　10km

N

南デリー

N

0km   10km

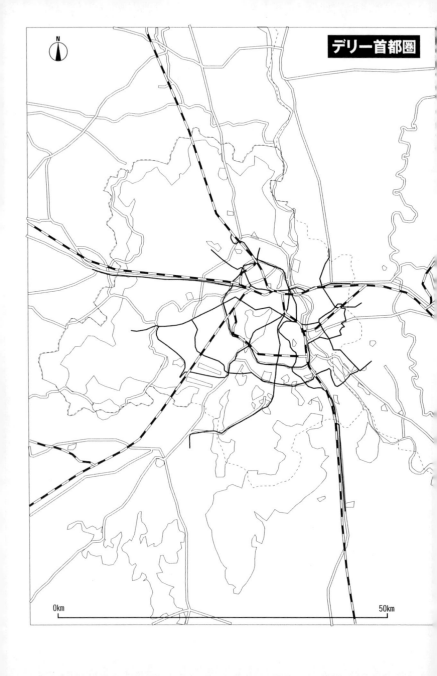

N

デリー首都圏

0km   50km

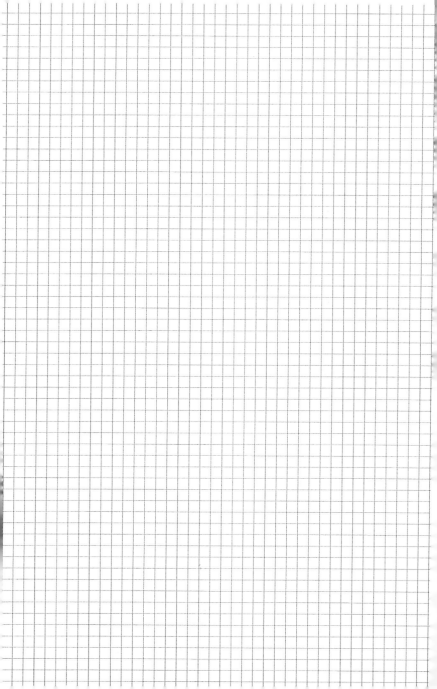

クトゥブ
ミナール

0km　　　　　　　　　　　　　　　　　　　　　2km

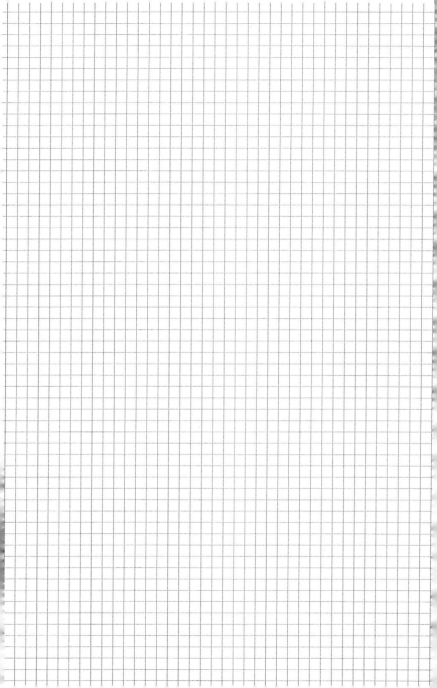

クトゥブ地区

N

0m   500m

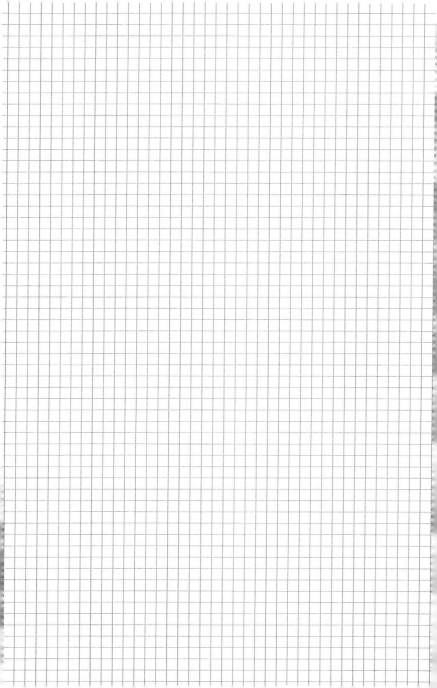

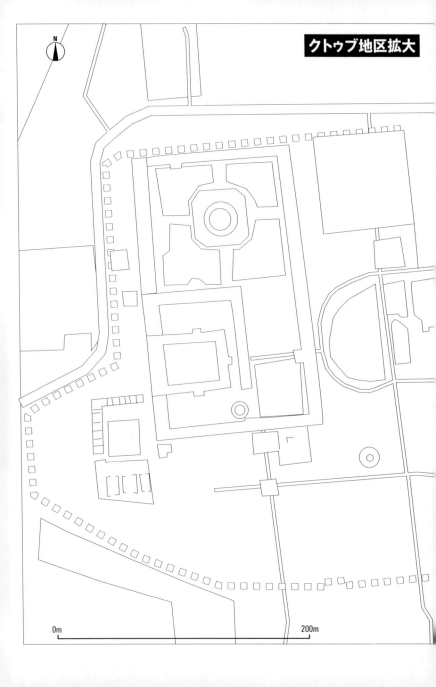

クトゥブ地区拡大

N

0m   200m

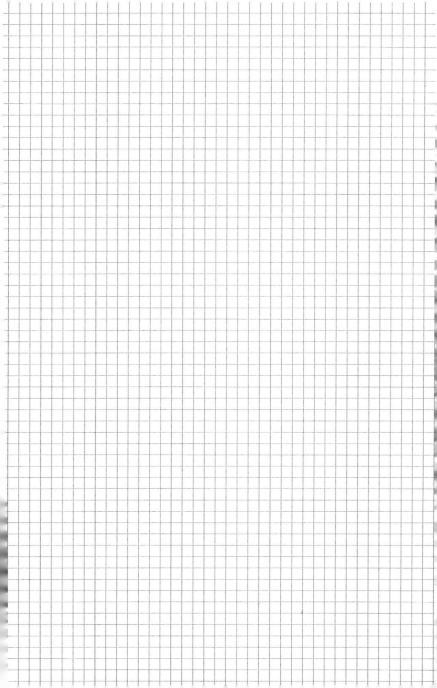

メローリー

0km
1km

N

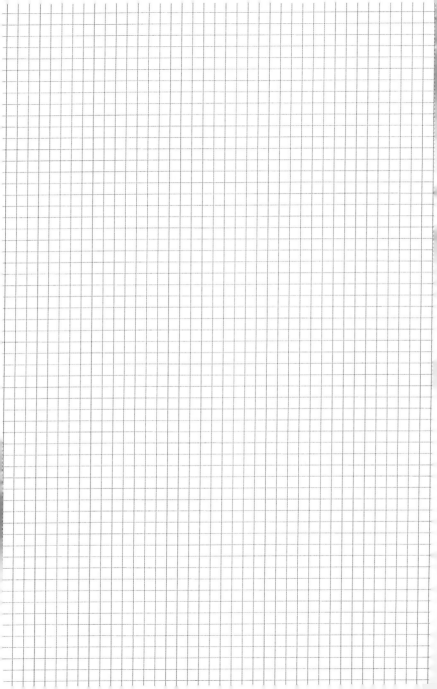

チャッタルプル

0km   1km

N

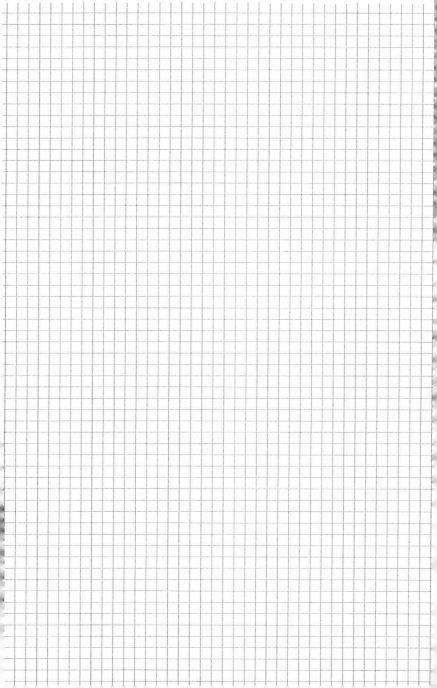

ハウズカース

0km 5km

ハウズカースヴィレッジ

0km　　　　　　　　　　　　　　　　　　　　　　　　　2km

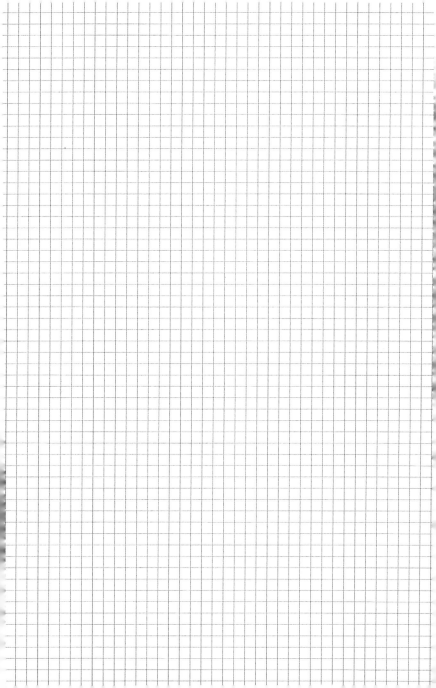

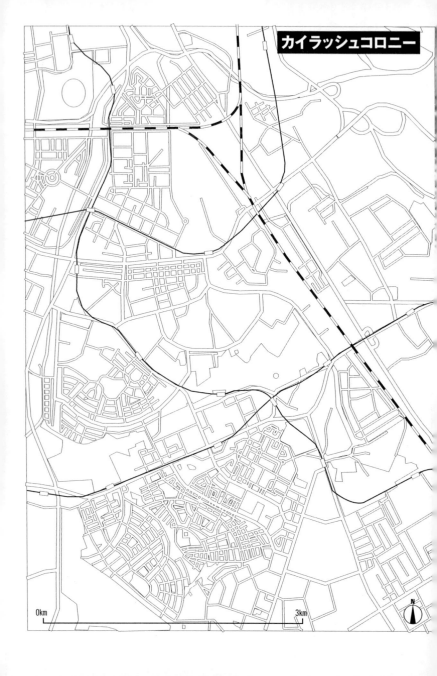

カイラッシュコロニー

0km　　　　　　　　　　　　　　　3km

N

0m　　　　　　　　　　　　　　　　　500m

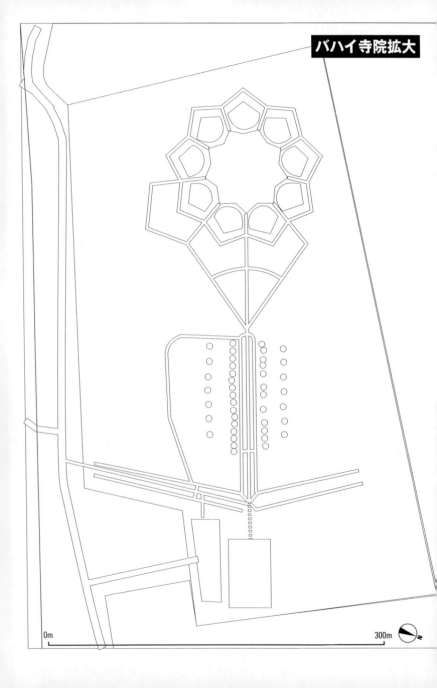

バハイ寺院拡大

0m　　　　　　　　　　　　　　　　300m

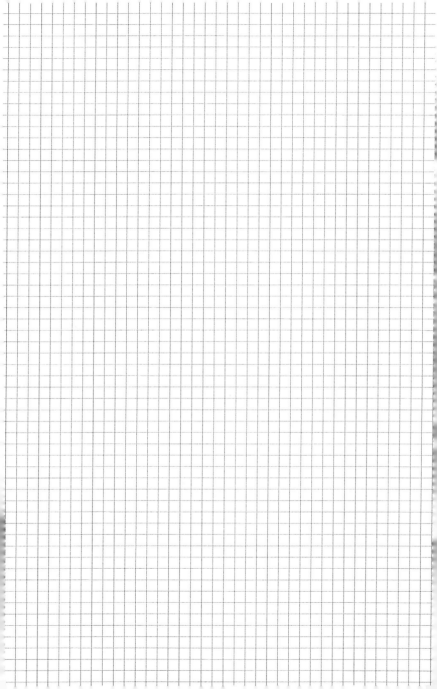

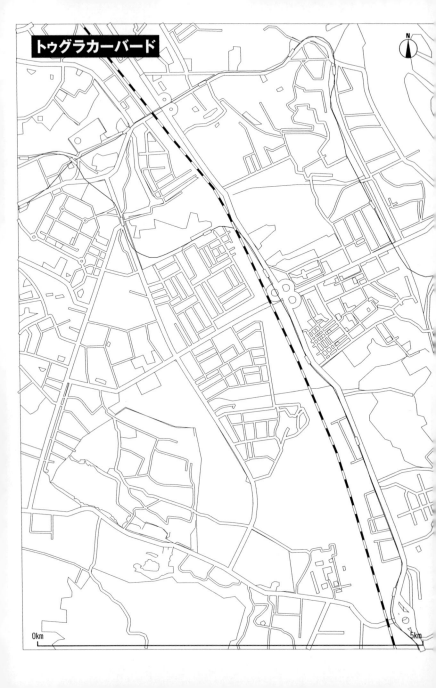

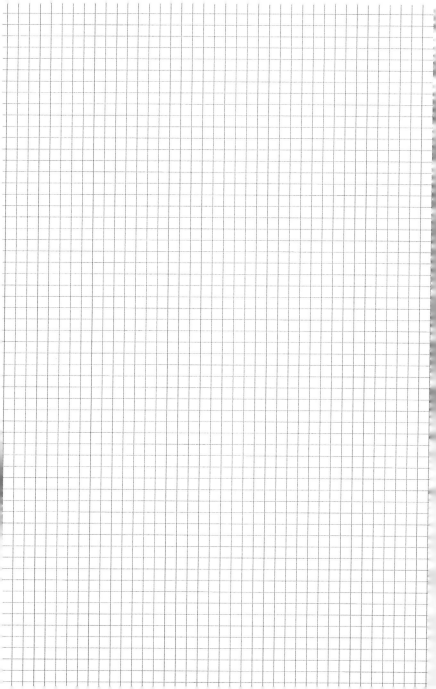

トゥグラカーバードフォート

0km   2km

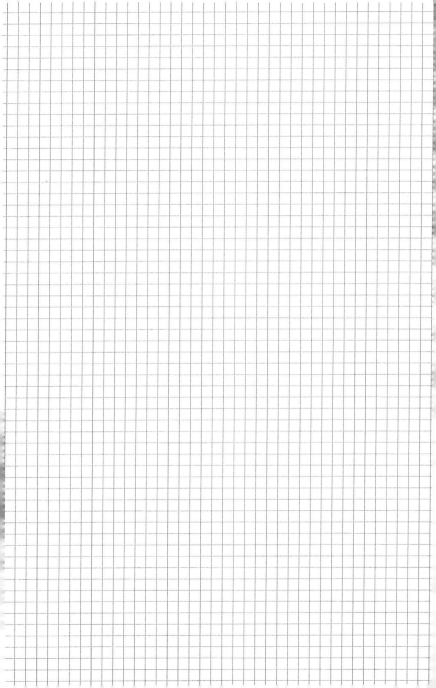

ギヤースアッディーン廟

0m 200m

N

デリー空港

0km　　　　　　　　　　　　　　　　　　　　　　10km

N

バサントクンジ

0km   2km

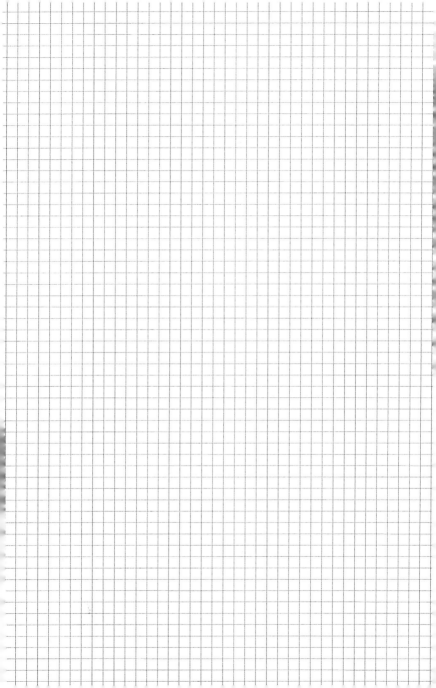

バサントビハール

0km 1km

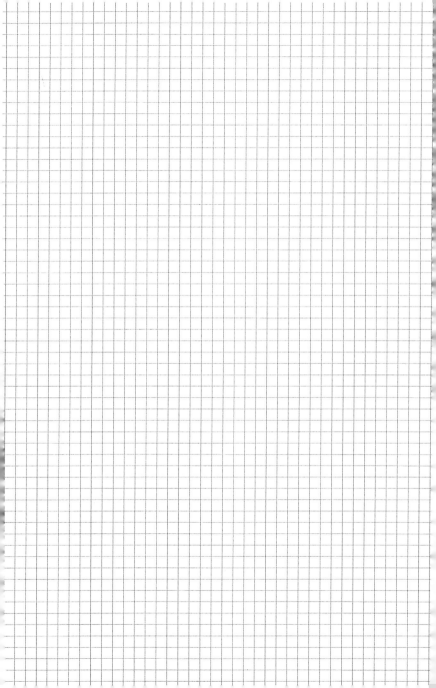

グルグラム
（グルガオン）

0km　　　　　　　　　　　　　　　　　2km

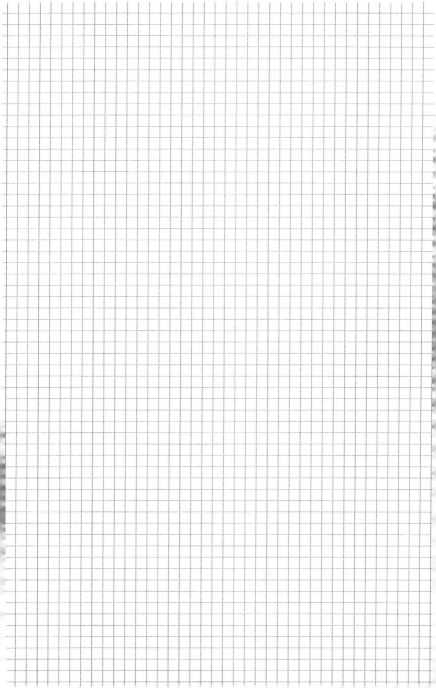

キングダムオブドリームス

N

0km   1km

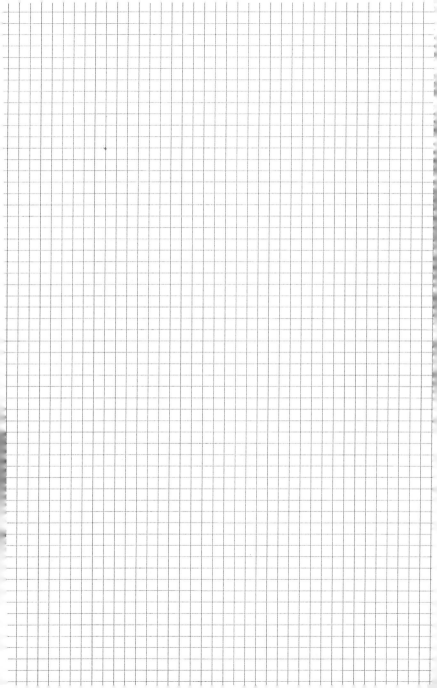

オールドグルグラム

N

0km   10km

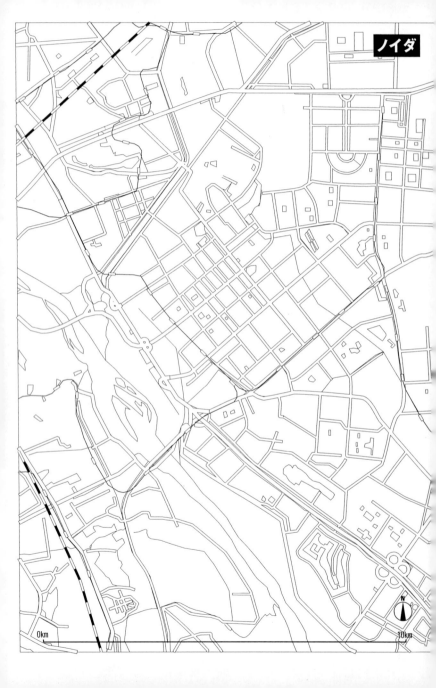

ノイダ

N

0km   10km

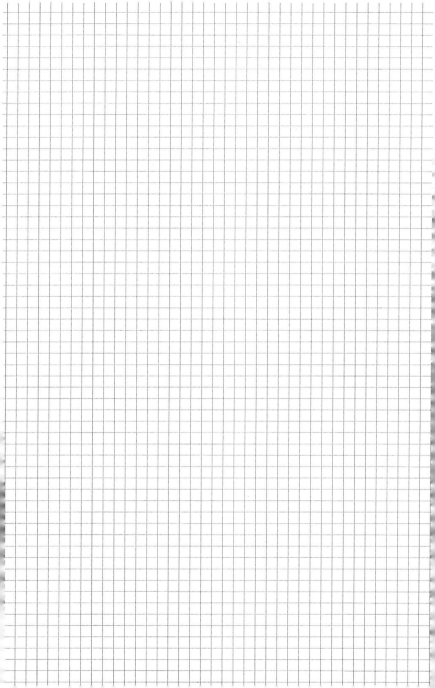

【車輪はつばさ】
南インドのアイラヴァテシュワラ寺院には
建築本体に車輪がついていて
寺院に乗った神さまが
人びとの想いを運ぶと言います

An amazing stone wheel of the Airavatesvara Temple
in the town of Darasuram, near Kumbakonam in the South India

まちごとインド
北インド 005

南デリー
イスラム征服王朝と「その足跡」
[モノクロノートブック版]

「アジア城市（まち）案内」制作委員会
まちごとパブリッシング
http://machigotopub.com

・本書はオンデマンド印刷で作成されています。
・本書の内容に関するご意見、お問い合わせは、発行元の
　まちごとパブリッシング info@machigotopub.com までお願いします。

まちごとインド
新版 北インド005南デリー
～イスラム征服王朝と「その足跡」

2020年 8月15日　発行

著　者　　「アジア城市（まち）案内」制作委員会
発行者　　赤松　耕次
発行所　　まちごとパブリッシング株式会社
　　　　　〒181-0013　東京都三鷹市下連雀4-4-36
　　　　　URL http://www.machigotopub.com/
発売元　　株式会社デジタルパブリッシングサービス
　　　　　〒162-0812　東京都新宿区西五軒町11-13
　　　　　清水ビル3F

印刷・製本　株式会社デジタルパブリッシングサービス
　　　　　URL http://www.d-pub.co.jp/

MP315